Small Basic für Kids

Für Julia, Janne, Katrin und Daniel

Hans-Georg Schumann

Small Basic
für Kids

mitp

Bibliografische Information der Deutschen Nationalbibliothek
Die Deutsche Nationalbibliothek verzeichnet diese Publikation in der Deutschen Nationalbibliografie; detaillierte
bibliografische Daten sind im Internet über <http://dnb.d-nb.de> abrufbar.

Bei der Herstellung des Werkes haben wir uns zukunftsbewusst für umweltverträgliche und wiederverwertbare
Materialien entschieden.
Der Inhalt ist auf elementar chlorfreiem Papier gedruckt.

ISBN 978-3-8266-8188-2
1. Auflage 2011

www.mitp.de
E-Mail: kundenbetreuung@hjr-verlag.de
Telefon: +49 6221/489-555
Telefax: +49 6221/489-410

Lektorat: Sabine Janatschek, Katja Völpel
Sprachkorrektorat: Petra Heubach-Erdmann
Covergestaltung: Christian Kalkert, www.kalkert.de
Satz: III-Satz, Husby
Druck: Beltz Druckpartner GmbH und Co. KG, Hemsbach

Inhalt

1

2

3

4

Grafik mit Draw und Fill 91

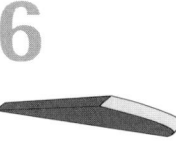

Pixel und Turtle 107

Objekte und Ereignisse 123

8

9

10

Vorwort

Es sind schon wahre Wunderwerke, die Computer! Man trifft diese Dinger überall, sie können allerhand Sachen, man kann damit Texte schreiben, Bilder malen und spielen.

In Wirklichkeit aber sind sie strohdumm. Denn sie machen nur das, was ihnen ein Programm sagt. Ist das ein Grafik-Programm, dann lassen sich mit dem Computer Bilder bearbeiten. Ist das ein Actionspiel, dann lässt sich der Computer mit einem Joystick oder den Tasten steuern und bewegt irgendwelche Objekte über den Bildschirm.

Programme werden von Leuten erstellt, die sich in einer Programmier-sprache auskennen, sich Nächte um die Ohren schlagen und nur in der Nähe ihres Computers schlafen. So sagt man. Aber das muss ja nicht stimmen.

Was heißt denn Programmieren?

Wenn du aufschreibst, was ein Computer tun soll, nennt man das Programmieren. Das Tolle daran ist, dass du selbst bestimmen kannst, was getan werden soll. Lässt du dein Programm laufen, macht der Computer die Dinge, die du ausgeheckt hast. Natürlich wird er dann nicht dein Zimmer aufräumen und dir auch keine Pizza servieren. Aber kannst du erst mal programmieren, kannst du den Computer sozusagen nach deiner Pfeife tanzen lassen.

Allerdings passiert es gerade beim Programmieren, dass der Computer nicht so will, wie du es gerne hättest. Meistens ist das ein Fehler im Programm. Der Fehler kann aber auch irgendwo anders im Computer oder im Betriebssystem liegen. Das Dumme bei Fehlern ist, dass sie sich gern so gut verstecken, dass die Suche danach schon manchen Programmierer zur Verzweiflung gebracht hat.

Vielleicht hast du nun trotzdem Lust bekommen. Dann brauchst du ja nur noch eine passende Entwicklungsumgebung und schon kann's losgehen.

Was ist eine Entwicklungsumgebung?

Um ein Programm zu erstellen, musst du erst mal etwas eintippen. Das ist wie bei einem Brief oder einer Geschichte, die man schreibt. Das Textprogramm kann hier sehr einfach sein, weil es ja nicht auf eine besondere Schrift oder Darstellung ankommen muss. So etwas wird Editor genannt.

Ist der Programmtext eingetippt, kann ihn der Computer nicht einfach lesen und ausführen. Jetzt muss alles so übersetzt werden, dass der PC versteht, was du von ihm willst. Weil er aber eine ganz andere Sprache spricht als du, muss ein Dolmetscher her.

Du programmierst in einer Sprache, die du verstehst, und der Dolmetscher übersetzt es so, dass es dem Computer verständlich wird. So etwas heißt dann Compiler (ausgesprochen: Kompailer).

Schließlich müssen Programme überarbeitet, verbessert, wieder getestet und weiter entwickelt werden. Dazu gibt es noch einige zusätzliche Hilfen. Daraus wird dann ein ganzes System, die Entwicklungsumgebung.

In welcher Sprache wird programmiert?

Leider kannst du nicht so programmieren, wie dir der Schnabel gewachsen ist. Eine Programmiersprache muss so aufgebaut sein, dass möglichst viele Menschen in möglichst vielen Ländern einheitlich damit umgehen können.

Weil in der ganzen Welt Leute zu finden sind, die wenigstens ein paar Brocken Englisch können, besteht auch fast jede Programmiersprache aus englischen Wörtern. Es gab auch immer mal Versuche, z.B. in Deutsch zu programmieren, aber meistens klingen die Wörter dort so künstlich, dass man lieber wieder aufs Englische zurückgreift.

In diesem Buch hast du es mit der Programmiersprache Basic zu tun. Sie ist weit verbreitet und leicht zu erlernen. Daneben gibt es noch einige andere Sprachen wie z.B. Java, C++/C# und Delphi (und auch dazu passende Kids-Bücher).

In den verfügbaren Basic-Systemen habe ich nach einem gesucht, das sich möglichst einfach handhaben lässt. Auch kann es nicht schaden, wenn sich damit zumindest einfache Spiele ohne allzu großen Aufwand programmieren lassen.

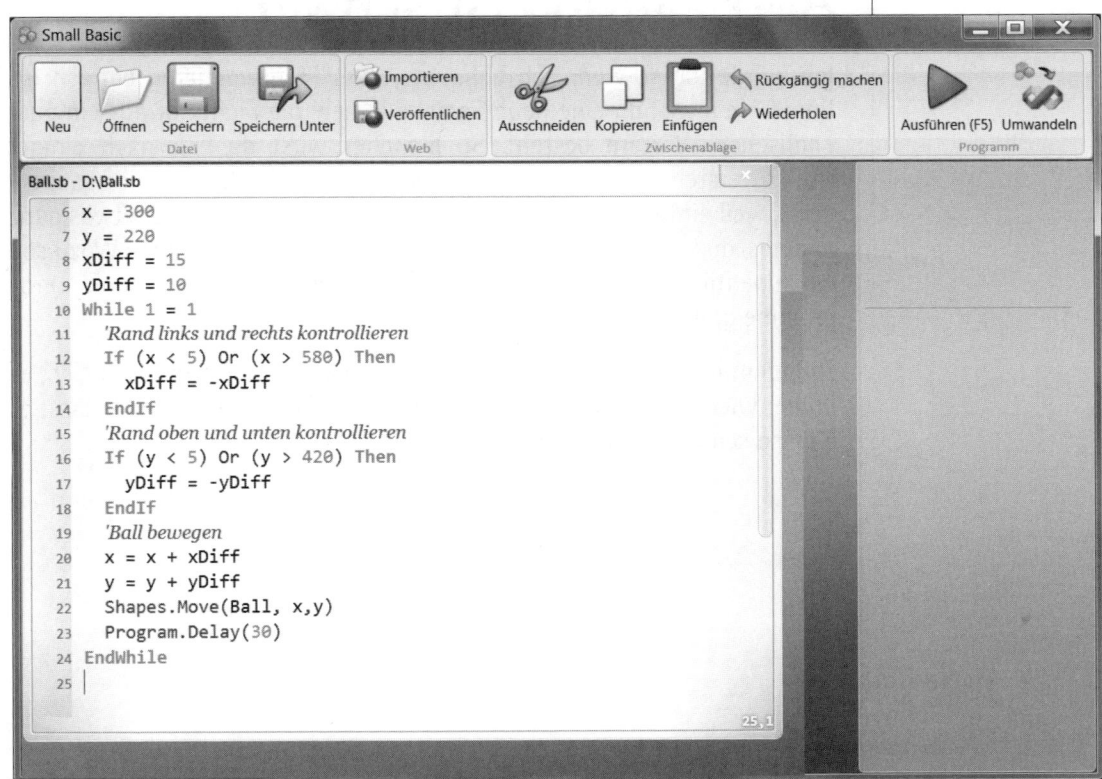

Da begegnete mir in Small Basic eine kleine, aber feine Entwicklungsumgebung, die das Wesentliche zu bieten hat, was man so zum Programmieren gebrauchen kann. Und weil sie auch noch Spaß machen kann, lag es nahe, sich mit diesem Basic-Dialekt näher zu beschäftigen.

Dieses Programmiersystem wird kostenlos von Microsoft zur Verfügung gestellt, die neueste Version kannst du dir unter **http://smallbasic.com** herunterladen.

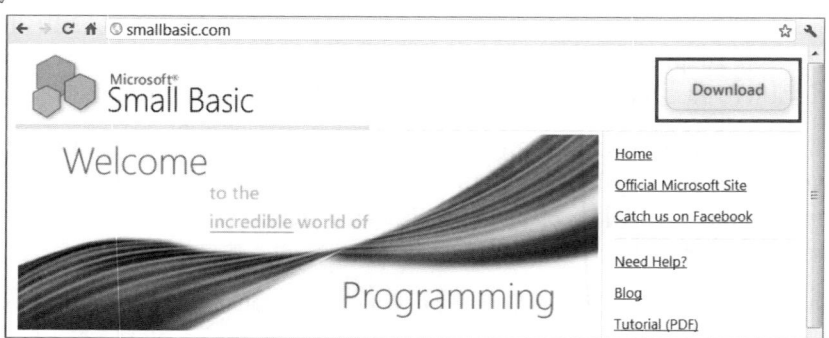

Aller Anfang ist schwer

Ich würde lügen, wenn ich behaupte, dass Programmieren einfach ist. Immerhin musst du eine neue Sprache lernen, die nicht nur aus ein paar englischen Wörtern besteht. So manches wirst du erst nach einiger Übung verstehen. Nicht selten kann es vorkommen, dass du die Lust verlierst, weil einfach gar nichts klappen will. Das Programm tut etwas ganz anderes, du kannst den Fehler nicht finden, und du fragst dich: Wozu soll ich eigentlich programmieren lernen, wo es doch schon genug Programme gibt?

Trotzdem meine ich: Es ist nicht nur einen Versuch wert, es lohnt sich, es immer wieder zu versuchen. Hast du erst mal »Blut geleckt«, dann lässt es dich so schnell nicht wieder los ...

Einleitung

Wie arbeite ich mit diesem Buch?

Grundsätzlich besteht dieses Buch aus viel, viel Text und einer Menge Abbildungen dazwischen. Natürlich habe ich mich bemüht, alles so zuzubereiten, dass daraus lauter gut verdauliche Happen werden. Damit das Ganze noch genießbarer wird, gibt es zusätzlich noch einige Symbole, die ich dir hier gern vorstellen möchte:

Arbeitsschritte

Wenn du dieses Zeichen siehst, heißt das: Es gibt etwas zu tun. Damit kommen wir beim Programmieren Schritt für Schritt einem neuen Ziel immer näher.

Grundsätzlich lernt man besser, wenn man einen Programmtext selbst eintippt oder ändert. Aber nicht immer hat man große Lust dazu. Weil du alle Programme im Buch auch auf der Verlags-Website findest, ist hinter einem Programmierschritt auch der jeweilige Dateiname (z. B. GRAFIK1.SB) angegeben. Wenn du also den Programmtext nicht abtippen willst, kannst du stattdessen die zugehörige Datei laden. Folge einfach diesem Link:

http://www.mitp.de/8188

Fragen und Aufgaben

Am Ende eines Kapitels wirst du jeweils einige Fragen und Aufgaben entdecken. Diese Übungen sind nicht immer ganz einfach, aber sie helfen dir, noch besser zu programmieren. Lösungen zu den Fragen und Aufgaben findest du ebenfalls dort auf der Website des Verlages, wo auch die Beispielprogramme liegen. Du kannst sie dir im Editor von Windows oder auch in deinem Textverarbeitungsprogramm anschauen. Oder du lässt sie dir ausdrucken und hast sie dann schwarz auf weiß, um sie neben den PC zu legen.

Wenn eine aktuelle Aufgabe die Änderung eines Projekts betrifft, steht direkt dahinter in Klammern mit einem Pfeil (→) versehen der Name der Datei, in der das geänderte Programmprojekt zu finden ist (→ FIGUR1.SB).

Notfälle

Manchmal hast du eine falsche Taste gedrückt oder etwas vergessen. Oder es wird gerade ganz knifflig. Dann fragst du dich, was du nun tun sollst. Bei diesem Symbol findest du eine Lösungsmöglichkeit. Notfalls kannst du aber auch ganz hinten im Anhang B nachschauen, wo eine Reihe von häufigen Programmierpannen aufgeführt ist.

Wichtige Stellen im Buch

Hin und wieder findest du ein solch dickes Ausrufezeichen im Buch. Dann ist das eine Stelle, an der etwas besonders Wichtiges steht.

Wenn es um eine ausführlichere Erläuterung geht, tritt Buffi in Erscheinung und schnuppert in seiner Kiste mit Tipps & Tricks.

Was brauchst du für dieses Buch?

Betriebssystem

Das Betriebssystem sorgt dafür, dass der Betrieb deines Computers möglichst reibungslos ablaufen kann. Es übernimmt u.a. die Verwaltung des Arbeitsspeichers und der Geräte, die mit dem Computer verbunden sind: von Monitor und Tastatur bis zu Festplatten und anderen Laufwerken.

Fast jeder Computer arbeitet heute mit dem Betriebssystem Windows. Das gibt es in mehreren Versionen. Small Basic funktioniert unter den Windows-Versionen XP, Vista und 7.

Speichermedien

Auf jeden Fall ist ein USB-Stick sinnvoll, auch wenn du deine Programme auf der Festplatte unterbringen willst. Denn auf diesem Speicher-Stick sind deine Projekte zusätzlich sicher aufgehoben.

Gegebenenfalls bitte deine Eltern oder Lehrer um Hilfe: Sie sollen den Anhang A lesen. Dann können sie dir bei den ersten Schritten besser helfen.

Wie gut kennst du deinen PC?

Du musst dich mit deinem PC nicht perfekt auskennen, um mit Small Basic zu programmieren. Es ist aber gut zu wissen, wie man Small Basic startet und beendet. Das erfährst du gleich im ersten Kapitel.

> Wenn du noch Schwierigkeiten mit dem PC hast, ist es besser, sich erst mal ein grundlegendes Buch über Computer anzuschauen, beispielsweise PCs für Kids.
>
> Kennst du dich aber schon gut mit dem Computer und mit Windows aus, dann lass uns beginnen!

1

Das erste Programm

Hier geht es gleich ans »Eingemachte«. Nachdem wir Small Basic installiert und gestartet haben, machen wir einen kleinen Spaziergang durch unsere Programmierumgebung, und dabei entsteht dann auch dein erstes Programm.

In diesem Kapitel lernst du

◎ wie man Small Basic installiert

◎ wie man Small Basic startet

◎ wo welche besonderen Tasten zu finden sind

◎ wie man ein Programm eingibt und startet

◎ Methoden für die Eingabe und Ausgabe von Text kennen

◎ wie man Small Basic beendet

Small Basic holen und installieren

Die Installation von Small Basic sollte für dich auch als Anfänger kein Problem sein. Das Programm, das wir dazu benötigen, heißt SMALL-BASIC.MSI.

1

Zuerst musst du diese Datei herunterladen. Das geht am besten direkt über die passende Seite von Microsoft. Aktuell ist diese Adresse:

http://smallbasic.com

Hier findest du gleich rechts oben die Schaltfläche für den **Download**.

Ein anderer Weg führt über den Link

http://www.microsoft.com/downloads/de-de

(Hier kannst du als Suchwort »Small Basic« eingeben.)

Ansonsten findest du über eine der Suchmaschinen weitere Stellen mit Möglichkeiten zum Download von Small Basic. (Legst du Wert auf deutsche Menüeinträge, dann achte darauf, dass du die **deutsche** Version erwischst.)

SmallBasic. msi

≫ Und nun doppelklicke mit der Maus in dem Ordner, in den du das Programm heruntergeladen hast, auf das entsprechende Symbol.

≫ Einen Moment später begrüßt dich ein Dialogfeld. Dort klickst du einfach auf NEXT.

Im nächsten Fenster findest du die Lizenzbedingungen. Wenn du willst, kannst du sie dir durchlesen.

≫ Auf jeden Fall musst du am Ende zustimmen, also »I accept the terms in the Licence Agreement« anklicken, damit davor ein Häkchen steht. Dann klicke auch hier auf die Schaltfläche NEXT.

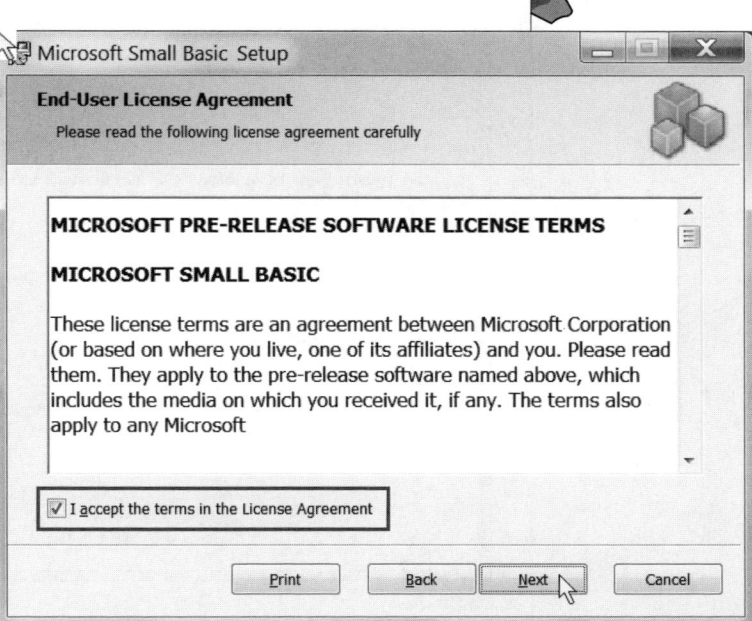

≫ Auch wenn es nun so aussieht, als gäbe es hier eine Wahl: Klicke einfach nur auf NEXT.

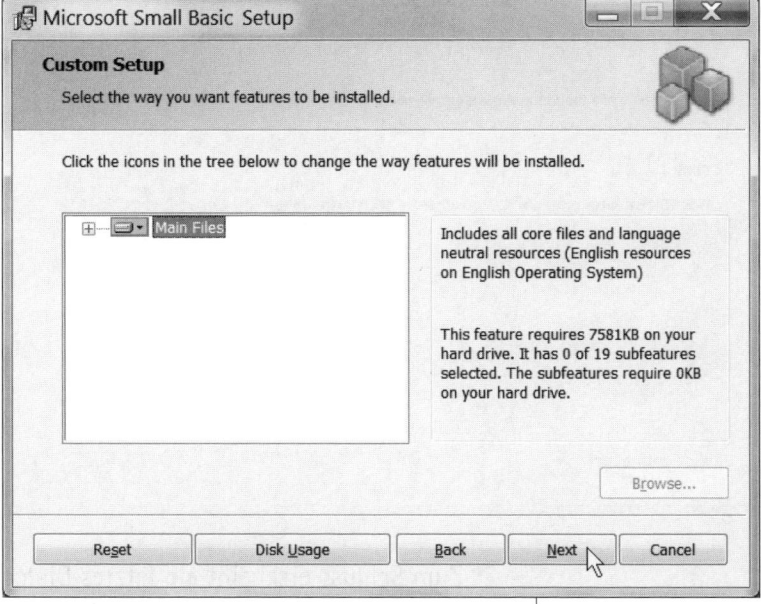

≫ Und auch im folgenden Fenster geht es weiter mit einem einfachen Mausklick, diesmal auf INSTALL.

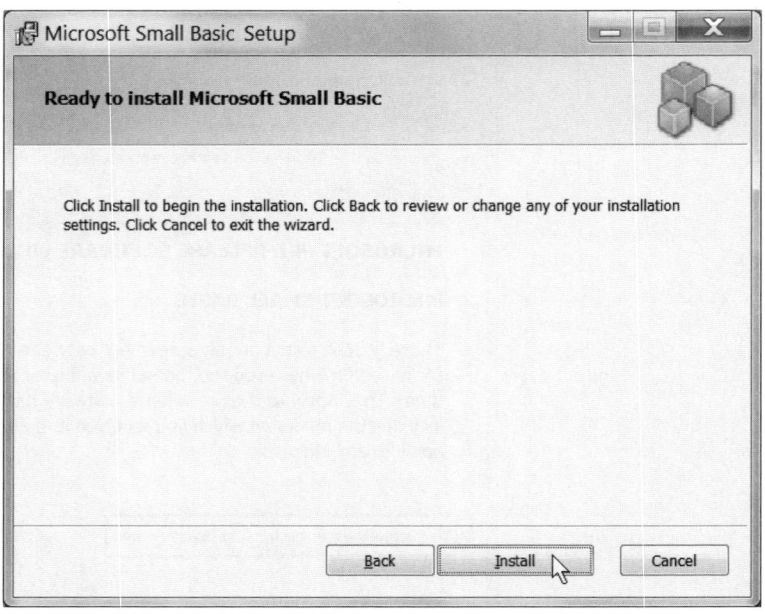

Im nächsten Dialogfeld wird nun der Fortschritt der Installation angezeigt.

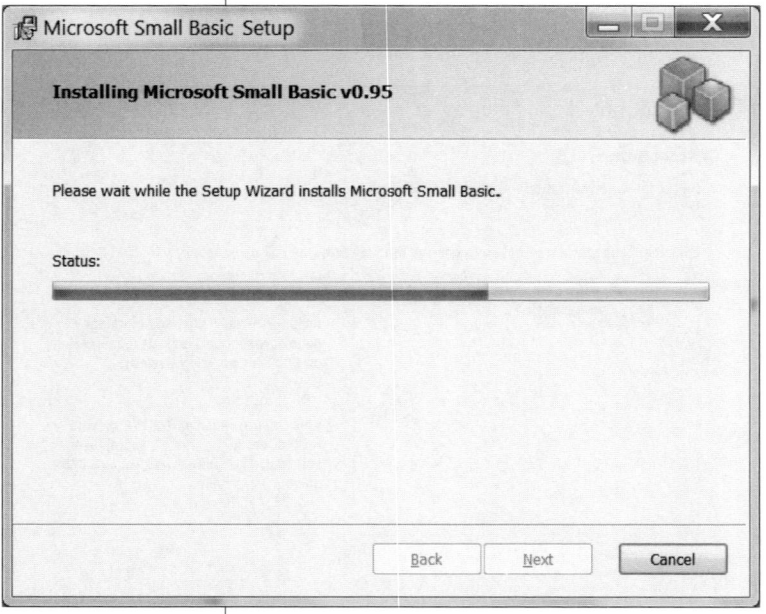

≫ Zum Schluss erscheint ein letztes Dialogfeld und mit einem Klick auf FINISH bringst du die ganze Installation zu Ende.

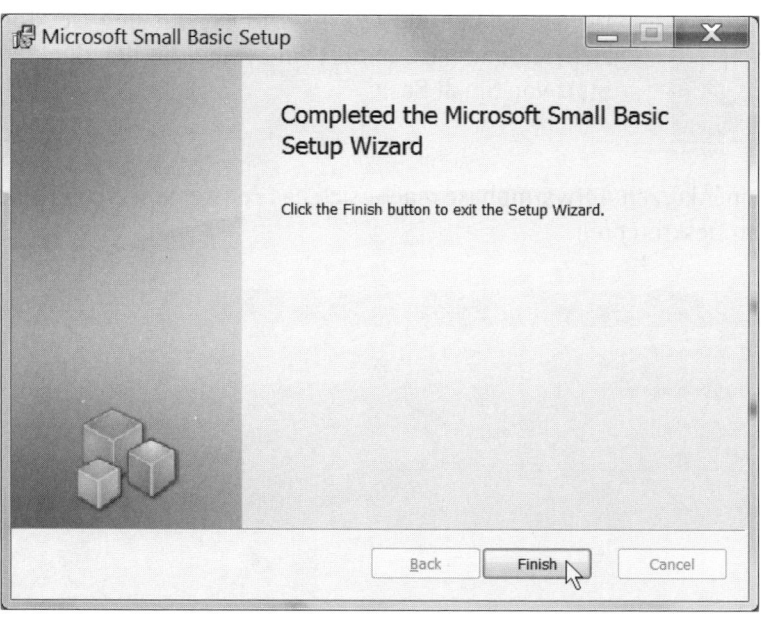

Small Basic starten

Und wie kriegt man das neue Programm jetzt zum Laufen? Der Start von Small Basic funktioniert wie bei fast jedem anderen Windows-Programm:

≫ Klicke mit der Maus auf START und dann auf ALLE PROGRAMME. Dann klicke weiter auf SMALL BASIC und dann noch mal auf MICROSOFT SMALL BASIC.

1

Du kannst den Eintrag auch direkt auf den Desktop ziehen. Dann hast du dort ein Symbol für den direkten Start von Small Basic.

Nach einer kurzen Aufwärmphase macht sich das Fenster von Small Basic auf dem Desktop breit.

Ganz oben findest du eine Leiste mit Symbolen, die man mit der Maus anklicken kann. Das Wichtigste dazu fasse ich mal kurz zusammen:

◆ Über die DATEI-Gruppe lassen sich deine Programme öffnen und speichern.

◆ Du kannst im WEB veröffentlichte Programme importieren (und selber welche veröffentlichen).

◆ Zum Bearbeiten von Programmteilen dürfen natürlich die Werkzeuge für die ZWISCHENABLAGE nicht fehlen.

◇ Damit du testen kannst, ob der PC auch das tut, was du im PROGRAMM vorgegeben hast, musst du es ausführen. (Und falls du später einmal auf die Profi-Umgebung Visual Basic umsteigen willst, kannst du deine Small-Basic-Projekte dafür umwandeln.)

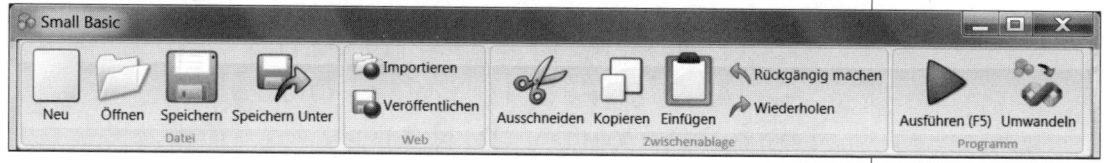

Die große linke Fläche unter der Menüleiste ist der **Editor**. Dort gibst du deinen Programmtext ein. Ein anderer Name für Programmtext ist **Quelltext** oder Quellcode.

Tasten suchen und finden

Beim Eintippen eines Programmtextes wirst du feststellen, dass es bestimmte Tasten gibt, die man zwar wieder und wieder braucht, aber nicht immer gleich findet. Deshalb schauen wir uns jetzt mal gemeinsam die Tasten an, auf denen besondere Zeichen stehen oder die eine besondere Bedeutung haben.

Du kannst das Spiel dann selbst noch mal beliebig oft wiederholen. Das erspart dir einiges an Zeit, wenn du dich später voll auf ein Programm konzentrieren kannst und nicht ständig nach einer Taste suchen musst.

Als Erstes verschaffen wir uns noch mal einen Überblick über die Tasten zur Steuerung der Bearbeitung:

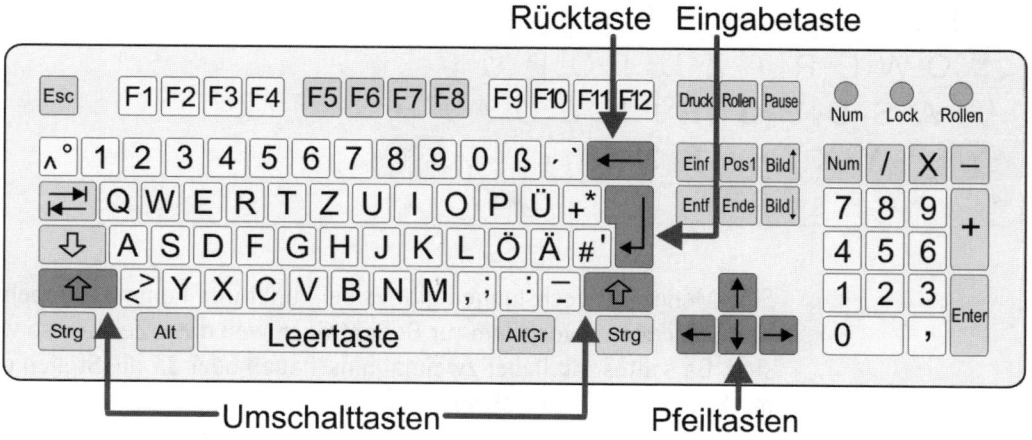

Die üblichen Anführungsstriche kriegst du mit ⬆ und ② auf den Bildschirm. Die einfachen mit ⬆ und #.

Anführungsstriche

Immer wieder nötig sind in Small Basic Klammern, und zwar zwei Sorten. Die **runden** findest du mit ⬆ und ⑧ oder ⑨. Und die **eckigen** mit AltGr und ⑧ oder ⑨.

Klammern

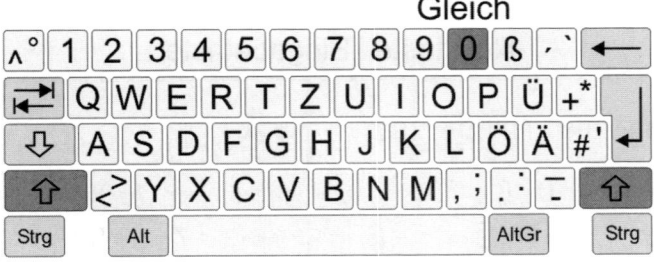

Auch das Gleichheitszeichen taucht häufig in Programmen auf. Das erhältst du mit ⬆ und ⓪.

Gleich

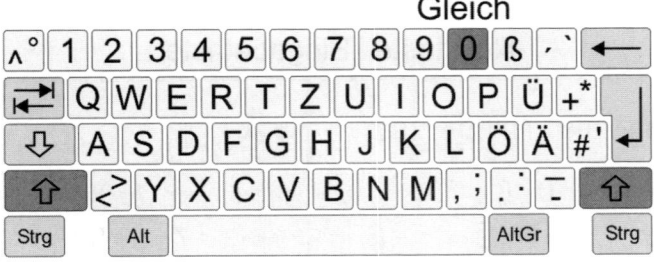

Eine Menge Verwechslungen gibt es bei Punkt und Komma, Doppelpunkt und Semikolon – vor allem für Brillenträger, weil diese Zeichen so winzig sind. Da solltest du lieber zweimal hinschauen oder dir die Stellen genau merken, wo die Tasten sitzen.

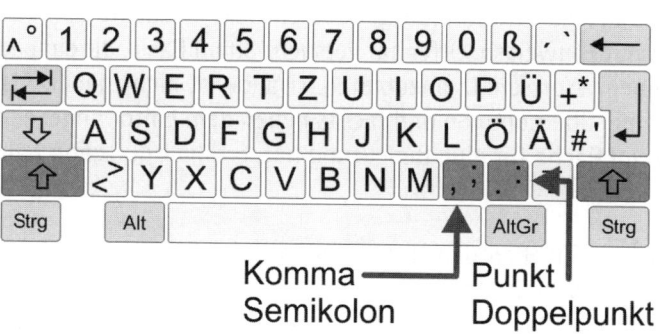

Komma —— Punkt
Semikolon   Doppelpunkt

Ein Programm eingeben und starten

Du möchtest jetzt endlich richtig loslegen? Genügend Platz für die Eingabe von Programmtext hast du ja.

Hier wartet der Editor schon auf ein neues Programm. Ansonsten genügt ein Klick auf NEU, um ein neues und leeres Editorfenster zu öffnen.

Neu   Öffnen   Speichern   Speichern Unter
Datei

Eine weitere Möglichkeit ist die Tastenkombination Strg N.

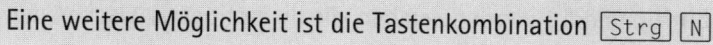

≫ Tippe also mal ein freundliches **Hallo** ein.

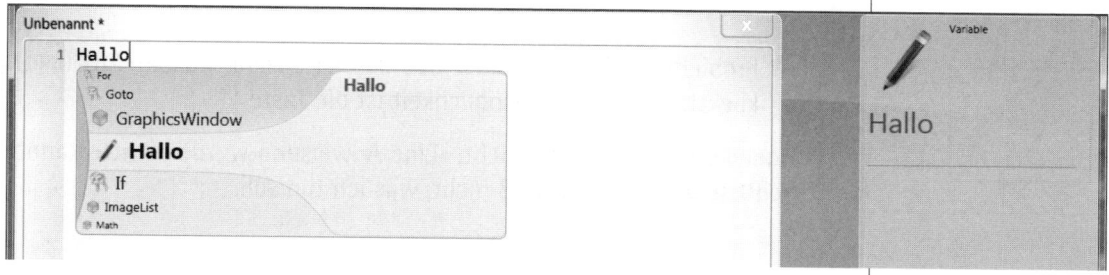

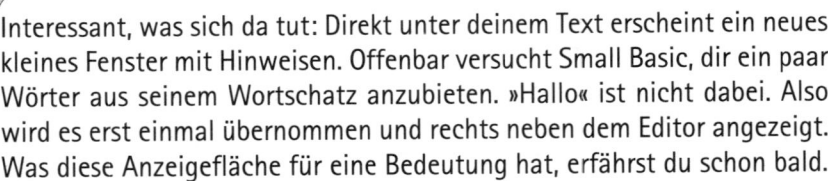

1

Interessant, was sich da tut: Direkt unter deinem Text erscheint ein neues kleines Fenster mit Hinweisen. Offenbar versucht Small Basic, dir ein paar Wörter aus seinem Wortschatz anzubieten. »Hallo« ist nicht dabei. Also wird es erst einmal übernommen und rechts neben dem Editor angezeigt. Was diese Anzeigefläche für eine Bedeutung hat, erfährst du schon bald.

Wenn sich beim Eingeben deines Programmtextes Fehler einschleichen, lässt sich das so korrigieren:

❖ Mit den Tasten Rück und Entf kannst du einzelne Zeichen löschen. Beachte aber, dass beide Tasten verschieden funktionieren!

❖ Mit ↵ erzeugst du im Editor eine neue Zeile. Aber Vorsicht: Wenn du mitten im Text diese Taste drückst, springt der nachfolgende Text in eine neue Zeile. Da hilft die Taste Rück, um das wieder auszubessern.

❖ Willst du an einer anderen Stelle noch etwas korrigieren oder einfügen? Dann muss der Textcursor versetzt werden. Dazu klickst du entweder mit der Maus auf die Stelle, an der du weiterarbeiten willst. Oder du benutzt die Pfeiltasten.

❖ Hast du ein Zeichen vergessen, kannst du es einfach eintippen. Der nachfolgende Text wird dann verschoben und dein Zeichen eingefügt.

❖ Rückgängig machen kann man eine Eingabe oben über das gleichnamige Symbol – oder mit Strg Z.

Mit der Taste Einfg kannst du in Small Basic zwischen dem Einfüge- und dem Überschreibmodus umschalten:

❖ Im **Einfügemodus** werden Zeichen, die du eintippst, zwischen den Text eingefügt, der Text dahinter verschiebt sich einfach.

❖ Im **Überschreibmodus** wird durch Eintippen der Text gelöscht, der schon an dieser Stelle steht: Alles wird überschrieben.

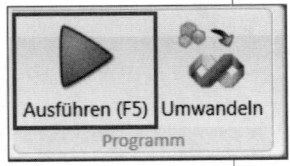

Ausführen (F5) Umwandeln
Programm

≫ Probiere jetzt einmal aus, was passiert, wenn du auf AUSFÜHREN klickst. Eine weitere Möglichkeit ist die Taste F5.

Irgendwie klappt etwas nicht. »Eine Anweisung wurde nicht erkannt« heißt so viel wie: Ich weiß nicht, was ich tun soll.

Ein Programm eingeben und starten

Eigentlich auch verständlich, denn wir haben es zwar gut gemeint mit unserem freundlichen Gruß, doch für den Computer ist es einfach nur eine hingeworfene Kette von Buchstaben.

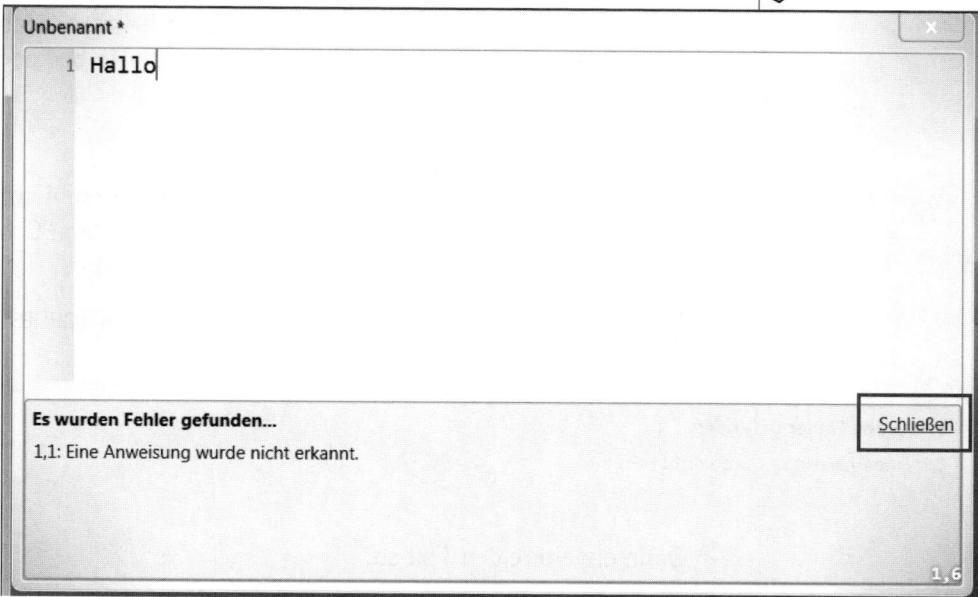

Auch wenn wir das »Hallo« in Anführungsstriche (") fassen und dann das Programm ausführen wollen, bringt uns das nur eine weitere Fehlermeldung ein, wenn auch diesmal eine andere: »"Hallo" wird an dieser Stelle nicht erwartet«.

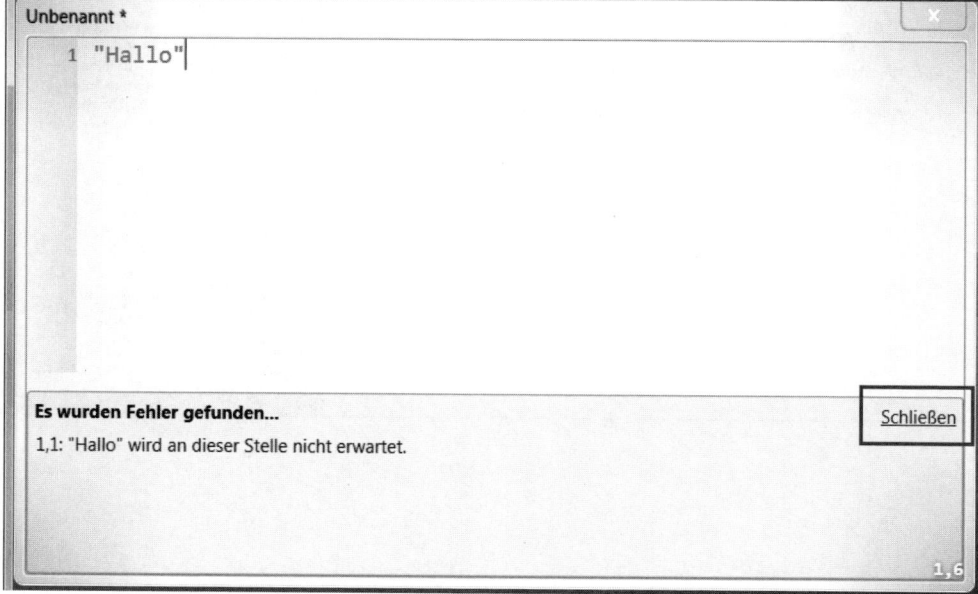

Allerdings kommen wir so vielleicht schon etwas weiter. Offenbar ist hier ein anderer Ton angesagt, damit der PC uns versteht. Was fehlt, ist eine **Anweisung**, ein Befehl. Weil der Computer ja einen Text auf den Bildschirm schreiben soll, müssen wir ihm das eindeutig sagen.

Versuchen wir es also mal mit einem klaren Schreib-Befehl. Natürlich auf Englisch, denn Programmiersprachen wie Small Basic bedienen sich in der Regel beim englischen Wortschatz:

```
Write "Hallo"
```

Auch hier klappt der Versuch, das Programm zu starten, nicht. Und die Meldung hatten wir doch schon mal. Leider kann der PC mit dieser Anweisung so nichts anfangen.

≫ Klicke im Fensterbereich mit der Fehlermeldung auf SCHLIESSEN.

Es wurden Fehler gefunden...

1,1: Eine Anweisung wurde nicht erkannt.

Schließen

≫ Dann erweitere den Text so:

```
TextWindow.Write("Hallo")
```

Damit könnte sich dieses Bild ergeben:

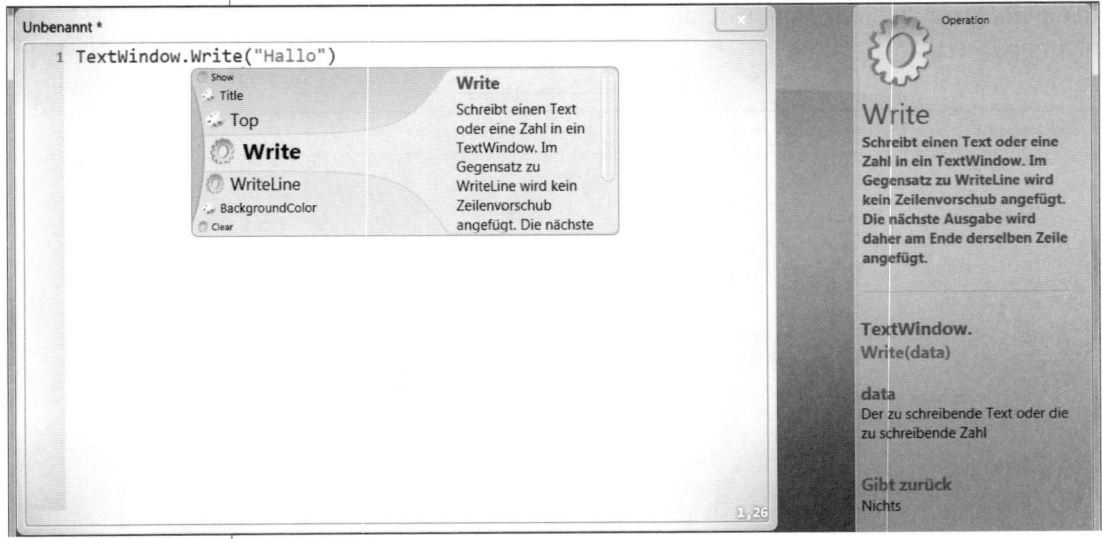

Auch hier versucht Small Basic, uns weiterzuhelfen. Dieses unterstützende System wird **IntelliSense** genannt. Mit den Pfeiltasten kannst du dich darin bewegen und einen Eintrag mit der ⏎-Taste übernehmen.

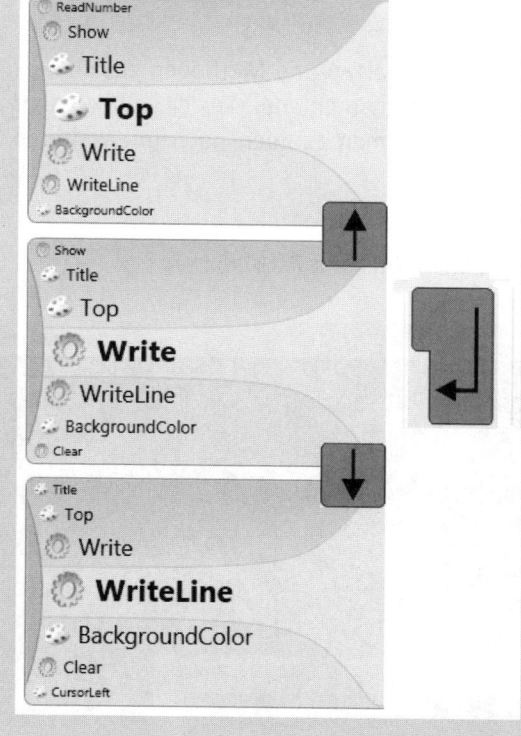

Die Information auf der rechten Seite zeigt, dass Small Basic mit dem eingegebenen Text etwas anfangen kann. Write heißt die Anweisung, die den PC dazu bringt, etwas auf dem Bildschirm zu schreiben – genauer in ein Fenster, wie wir gleich sehen werden.

Direkt vor Write steht das Wort TextWindow. Womit die ganze Anweisung ausführlich TextWindow.Write lautet. (Wichtig ist der **Punkt** zwischen den beiden Wörtern!)

Genauer gesagt bedeutet das: Es gibt in Small Basic eine so genannte **Klasse** mit dem Namen TextWindow, ein Textfenster, das in der Lage ist, etwas anzuzeigen, wie z.B. Texte oder auch Zahlen. Das erledigt die Methode Write, zu Deutsch so viel wie »Schreiben«.

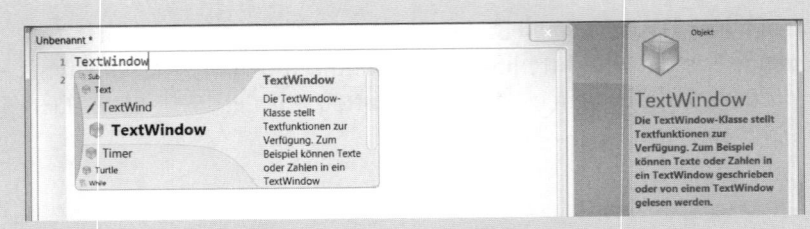

Klassen fassen bestimmte Eigenschaften und Methoden zusammen. Wir werden im Laufe dieses Buches nicht nur TextWindow näher kennen lernen, sondern wir bekommen es auch noch mit weiteren Klassen zu tun.

≫ Starte das Programm mit einem Klick auf AUSFÜHREN.

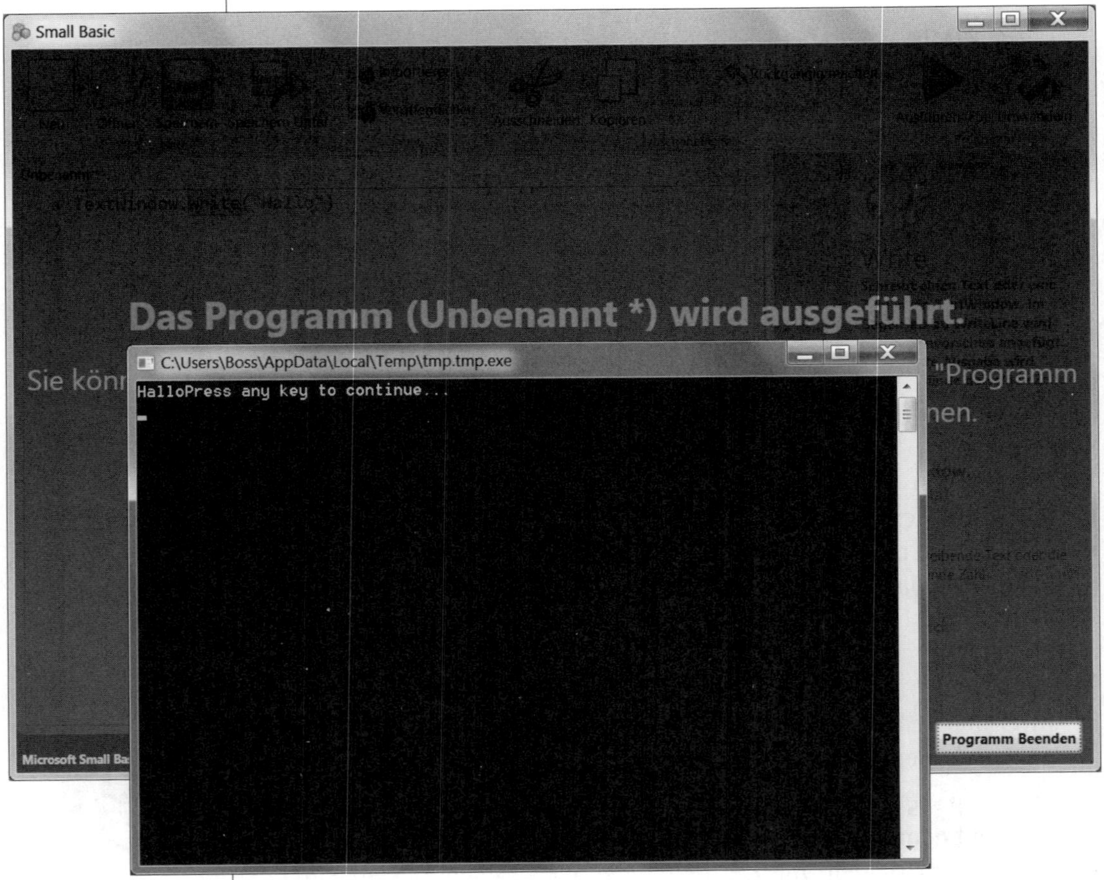

Und da erscheint tatsächlich ein »Hallo« in weißer Schrift auf schwarzem Grund. Es ist vielleicht nicht sofort zu entdecken, weil direkt dahinter die

Ein Programm eingeben und starten

Aufforderung »Press any key to continue« steht, zu Deutsch: »Weiter mit irgendeiner Taste«. Diese Aufforderung wird dir noch oft begegnen.

≫ Drücke eine Taste, z.B. ⏎. Das kleine Fenster verschwindet und wir landen wieder im Editor von Small Basic.

Dort nehmen wir jetzt gleich eine kleine Verbesserung vor:

≫ Ersetze das Wort `Write` durch `WriteLine`. Und schau dir selber an, was der Unterschied ist.

Ist dir aufgefallen, dass dein Programm noch immer UNBENANNT heißt? Wenn du möchtest, kannst du es jetzt speichern und ihm damit einen Namen geben. (Weil das Programm aber noch sehr kurz ist, kannst du es auch später speichern.)

≫ Klicke auf das Symbol für SPEICHERN.

≫ Gib hinter DATEINAME **Erstes** oder **Erstes.sb** oder einen Namen deiner Wahl ein. (Das »SB« steht als Abkürzung für »Small Basic«.)

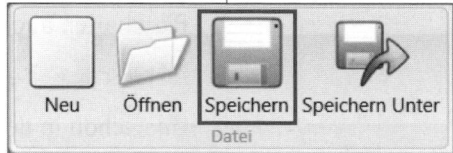

≫ Anschließend klickst du auf SPEICHERN.

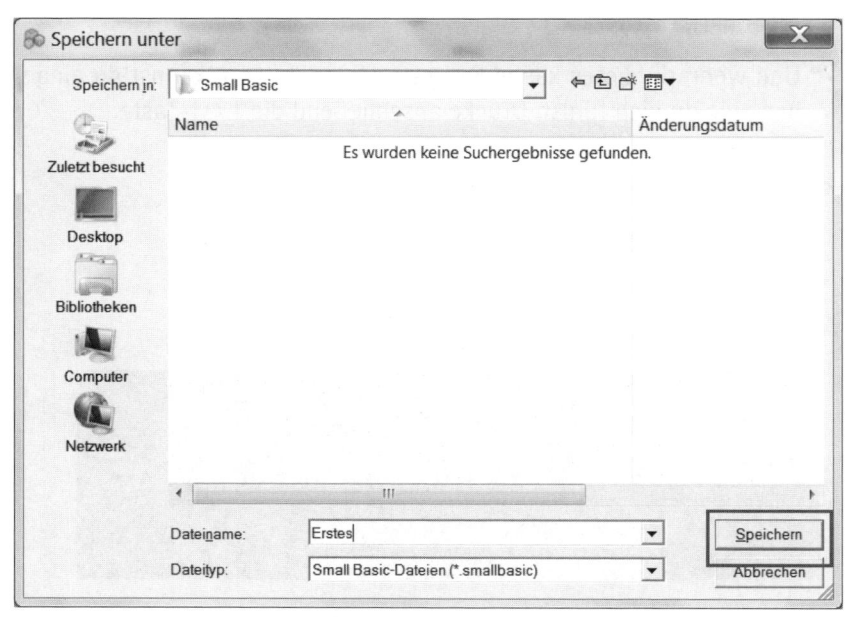

1

Eine Frage verdient eine Antwort

Nach dem Speichern hat dein Programmtext auch einen Namen. Auch wenn das Ganze noch ein bisschen mickrig ist.

≫ Deshalb ergänze die Anweisung auf diesen Text:

```
TextWindow.WriteLine("Hallo, wie geht es dir?")
```

Wenn du nun nach deinem Befinden gefragt wirst, willst du auch darauf antworten können. Dazu braucht dein PC eine weitere Anweisung, die ihn veranlasst, dir »zuzuhören«. Das heißt, der Computer soll die Tastatur abfragen und sich deine Antwort merken. Das erledigt eine weitere Methode der Klasse TextWindow:

```
TextWindow.Read()
```

Read ist das Gegenstück zu Write. Statt um das Schreiben geht es jetzt ums Lesen. Man kann auch sagen: Der PC »spricht« über den Bildschirm und »hört« mit der Tastatur.

So ganz zufrieden bin ich mit dieser Anweisung noch nicht, denn der Computer soll sich ja deine Antwort merken. Dazu brauchen wir einen Platzhalter, auch **Variable** genannt:

```
Antwort = TextWindow.Read()
```

Und schon in der nächsten Zeile finden wir dafür auch eine Verwendung:

```
TextWindow.WriteLine("Dir geht es also " + Antwort)
```

≫ Ergänze dein Programm um die zwei neuen Zeilen. Dann starte es über AUSFÜHREN.

≫ Und wenn du dieses kleine Programm nun startest, kannst du eingeben, wie du dich fühlst. Drücke anschließend die ⏎ -Taste.

```
Erstes.sb - C:\Users\Boss\Documents\Small Basic\Erstes.sb
1 TextWindow.WriteLine("Hallo, wie geht es dir?")
2 Antwort = TextWindow.Read()
3 TextWindow.WriteLine("Dir geht es also " + Antwort)
4
```

```
C:\Users\Boss\Documents\Small Basic\Erstes.exe
Hallo, wie geht es dir?
gut
Dir geht es also gut
Press any key to continue...
```

Eine Frage verdient eine Antwort

Und prompt kriegst du vom PC eine passende Antwort.

Nun wollen wir das Programm noch ein bisschen persönlicher gestalten. Dazu soll der PC noch deinen Namen mit ausgeben. Das wäre eine Möglichkeit:

```
TextWindow.Write("Hallo Felix, wie geht es dir? ")
```

Statt »Felix« setzt du natürlich deinen eigenen Namen ein. Aber warum nehmen wir nicht gleich eine weitere Variable? Lassen den Computer nach unserem Namen fragen und setzen den dann ein? Womit sich dieses Programm ergibt:

```
'Hallo 1
TextWindow.Write("Hallo, wer bist du? ")
Name = TextWindow.Read()
TextWindow.Write(Name + ", wie geht es dir? ")
Antwort = TextWindow.Read()
TextWindow.WriteLine("Dir geht es also " + Antwort)
```

Damit hätten wir dann schon ein richtiges kleines Gespräch, wenn auch ein sehr kurzes.

> Ich habe hier zum Teil die Anweisungen Write verwendet, dann kannst du deine Antwort direkt hinter der Frage eingeben. Vergiss aber das **Leerzeichen** am Textende nicht, sonst klebt deine Antwort direkt an der Frage.

➤ Tippe den kompletten Text ein bzw. ändere deinen vorhandenen Quelltext. Dann starte das Programm und antworte auf die Fragen.

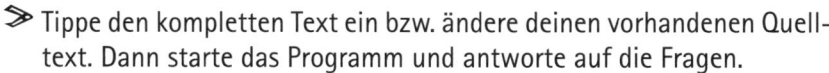

```
Hallo2.sb * - C:\Users\Boss\Documents\Small Basic\Hallo2.sb
1  'Hallo
2  TextWindow.Write("Hallo, wer bist du? ")
3  Name = TextWindow.Read()
4  TextWindow.Write(Name + ", wie geht es dir? ")
5  Antwort = TextWindow.Read()
6  TextWindow.WriteLine("Dir geht es also " + Antwort)
7
```

```
C:\Users\Boss\Documents\Small Basic\Hallo2.exe
Hallo, wer bist du? Felix
Felix, wie geht es dir? gut
Dir geht es also gut
Press any key to continue...
```

Eine kleine Ergänzung habe ich mir noch erlaubt: Ganz oben die erste Zeile ist ein so genannter **Kommentar**. Eingeleitet wird er mit einem einfachen Anführungsstrich ('), den du mit der Tastenkombination ⬆ # erhältst. Hier können Bemerkungen zum Programmverlauf oder wie in diesem Fall einfach Überschriften stehen.

Bei Write, WriteLine und Read handelt es sich um **Methoden**, man sagt dazu auch **Funktionen**. In Small Basic benötigt jede Funktion am Ende zwei runde Klammern. Die können - wie bei Read - auch leer sein, dürfen aber niemals fehlen.

Diese Klammern sind die »Hände«, mit denen eine Methode **Parameter** übernimmt, also Werte, um damit zu arbeiten. Bei Write ist "Hallo" ein Parameter.

Small Basic beenden

Du kannst Small Basic einfach so verlassen, wie es ist. Es wartet dann auf dich, während du dich an einem Teller mit Pizza oder Nudeln labst oder dir vor dem Fernseher einen Krimi reinziehst.

Du kannst aber auch deinem PC etwas Ruhe gönnen. Zuvor musst du Small Basic beenden. Das geht wie bei fast jedem anderen Windows-Programm auch.

≫ Klicke im Programmfenster ganz oben rechts auf das Symbol mit dem X.

Small Basic will sich nicht beenden lassen, sondern schickt dir stattdessen eine Botschaft?

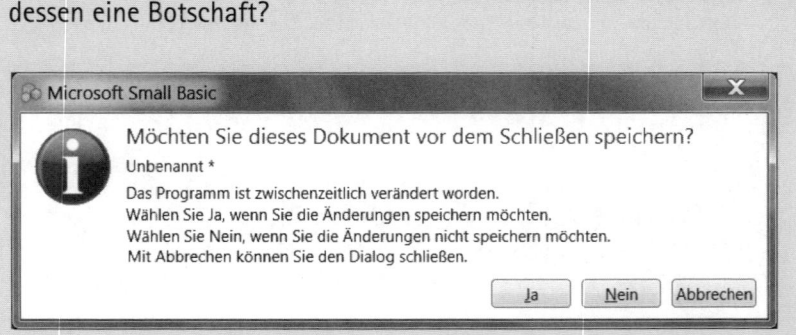

Dann hast du nach dem letzten Speichern noch etwas an deinem Programmtext geändert. Und Small Basic fragt dich nur brav, ob du diese (neue) Version sichern willst. Klicke einfach auf die entsprechende Schaltfläche JA oder NEIN. ABBRECHEN bedeutet, dass du Small Basic nicht beenden, sondern weitermachen willst.

Zusammenfassung

Und damit kannst du dich mit dem befriedigenden Gefühl zurücklehnen, dass du nun schon dein erstes Programm geschafft hast. Auch hattest du ein bisschen Gelegenheit, den Umgang mit einem Entwicklungssystem zu trainieren.

Diese Symbole sind dir schon vertraut:

NEU	Editorfenster für ein neues Programm öffnen
SPEICHERN	aktuelles Programm speichern
AUSFÜHREN	aktuelles Programm »laufen lassen«

Und du kennst schon eine Handvoll aus dem Wortschatz von Small Basic:

TextWindow	ein Textfenster, eine Klasse für Eingabe und Ausgabe von Text und Zahlen
Write	etwas auf dem Bildschirm anzeigen (Schreiben)
WriteLine	etwas auf dem Bildschirm anzeigen und anschließend in die nächste Zeile wechseln
Read	etwas über die Tastatur aufnehmen (Lesen)
=	einer Variablen einen Wert zuweisen
+	Text miteinander verketten/verknüpfen
'	Kommentar oder Titel einleiten

1

Ein paar Fragen ...

1. Wenn wir Menschen uns unterhalten, verwenden wir dazu Mund und Ohren. Womit lässt sich das beim Computer vergleichen?

2. Mit welchen Verfahren steuert man in Small Basic Eingabe und Ausgabe?

3. Was ist eine Variable?

... aber nur eine Aufgabe

1. Setze das angefangene Programm fort: Erweitere es um mindestens drei Zeilenpaare mit Write bzw. WriteLine und Read, so dass daraus ein kleines Gespräch entsteht.

2

Bedingungen und Kontrollen

Im letzten Kapitel hast du dich schon ein bisschen mit deinem PC unterhalten. Höflich hat er sich nach deinem Namen erkundigt, und gefragt, wie es dir geht. Und du hättest fast vergessen, dass dieses Ding eigentlich strohdumm ist: Denn der Computer hat doch nur Schritt für Schritt das ausgeführt, was du ihm in einem Programm befohlen hast.

Das soll jedoch nicht heißen, dass du deinen PC nicht so weit bringen kannst, wenigstens so zu tun, als würde er etwas verstehen und könne darauf eingehen. Außerdem ist hier auch etwas Mathematik angesagt. Aber keine Angst: Es genügen die Grundrechenarten.

In diesem Kapitel lernst du

◎ wie man einen Programmtext lädt

◎ was eine Kontrollstruktur ist

◎ wie man Werte von Variablen vergleicht

◎ die Verwendung von If und Then kennen

◎ etwas über Else und ElseIf

◎ eine ganze Reihe von Operatoren kennen

◎ etwas über Zuweisungen

2

Ein Programm wieder öffnen

Was du nun als Erstes brauchst, ist das Programm, das du im letzten Kapitel geschrieben hast. Und so bekommst du es wieder in das Editorfenster von Small Basic:

≫ Klicke auf das Symbol für ÖFFNEN. Oder du benutzt die Tastenkombination [Strg] [O].

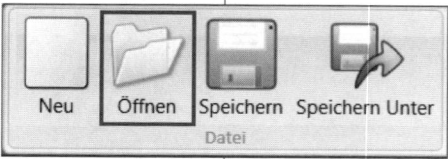

Ein Dialogfeld öffnet sich. Angezeigt wird das aktuelle Verzeichnis, in dem Small Basic gerade arbeitet. Hast du deine Datei z.B. unter dem Namen HALLO1.SB auf der Festplatte gespeichert, so findest du sie hier in einer Liste. Ist das dein erstes Programm, wird der Name wohl der einzige sein, der dort steht.

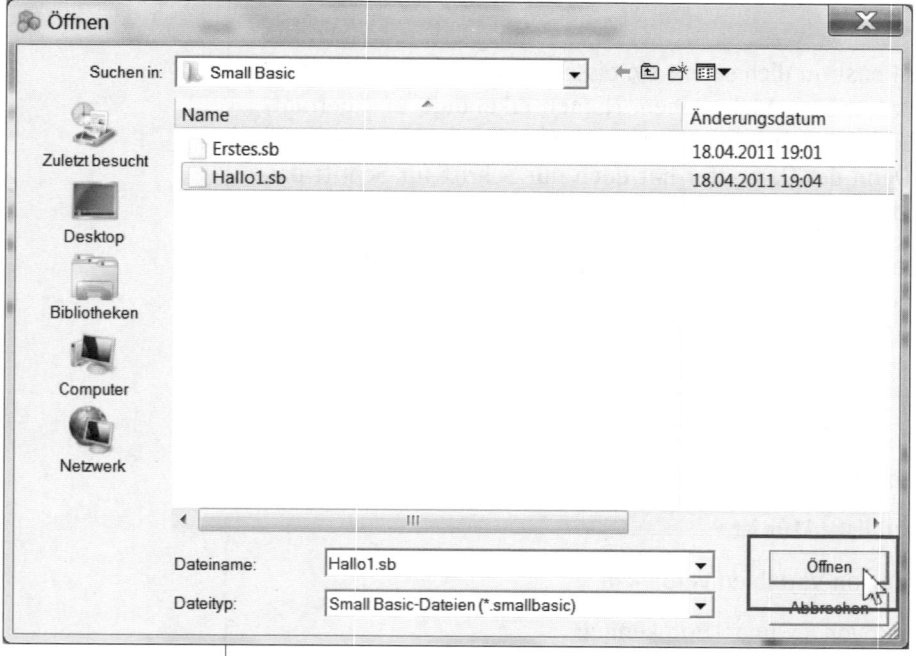

Wo ist die Datei?

≫ Klicke im Feld unter SUCHEN IN auf den Eintrag HALLO1.SB oder den Namen, den du deiner Programmdatei gegeben hast.

≫ Klicke auf die Schaltfläche ÖFFNEN.

Und ein wenig später erscheint der Text des Hallo-Programms im Editorfenster von Small Basic und wartet sehnsüchtig darauf, von dir weiter bearbeitet zu werden. Zur Erinnerung hier noch mal der komplette Quelltext:

```
'Hallo
TextWindow.Write("Hallo, wer bist du? ")
Name = TextWindow.Read()
TextWindow.Write(Name + ", wie geht es dir? ")
Antwort = TextWindow.Read()
TextWindow.WriteLine("Dir geht es also " + Antwort)
```

Wenn ... dann ...

Lässt du dieses Programm mehrmals ausführen und gibst dann jeweils verschiedene Antworten ein, dann fällt dir auf, wie eintönig das Gespräch mit dem Computer allmählich wird. Ob du nun beispielsweise »gut« oder »schlecht« als Antwort gibst, dein PC reagiert immerzu nur mit einer eigentlich nichtssagenden Wiederholung deiner Antwort.

Würdest du antworten: »Nur ums Geld« oder einfach irgendwelche Zeichen eintippen, auch dann könntest du ihn nicht zu einer anderen Reaktion bewegen. Es wird also Zeit, dass wir dem Kerl mal zeigen, wie man richtig auf Antworten wie »gut« oder »schlecht« eingeht!

≫ Speichere zuerst den Programmtext unter einem neuen Namen. Klicke dazu auf das Symbol für SPEICHERN UNTER .

≫ Als Namen tippe ein: **Hallo2.sb**.

≫ Dann klicke auf SPEICHERN.

Nun hat die Datei einen neuen Namen und die alte Version HALLO1.SB bleibt dir erhalten.

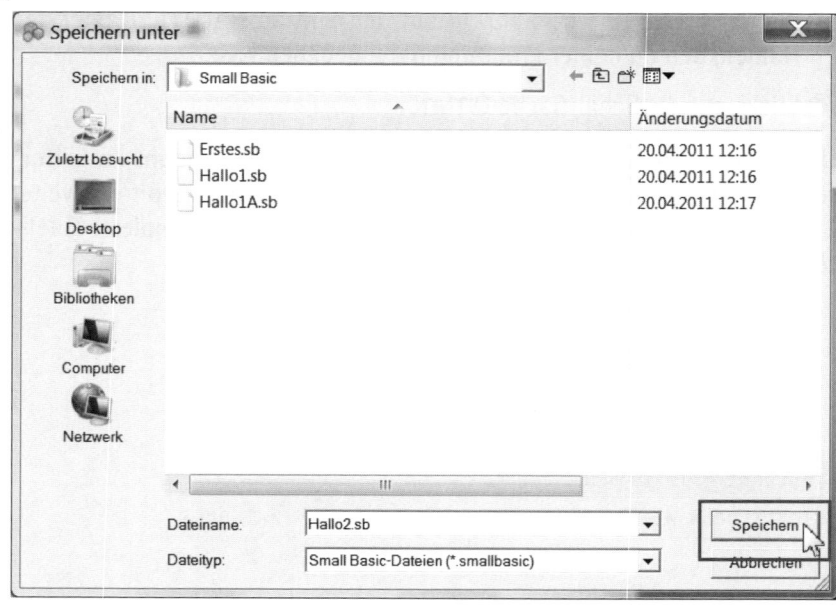

Und wir machen uns gleich ans Werk und kümmern uns um die letzte Write-Anweisung. Man könnte es zunächst mit einem einfachen »Na ja« versuchen, das würde zu fast jeder Antwort passen:

```
TextWindow.WriteLine("Na ja")
```

Schöner jedoch wäre es, wenn sich der Computer nach unserer Antwort richtet. Also könnte seine Reaktion z.B. so aussehen:

Wenn Antwort =	Dann schreib
"gut"	"Das freut mich!"
"schlecht"	"Das tut mir leid!"

Wie aber bringen wir das dem Computer bei? Die Wörter »Wenn« und »Dann« sollte es doch in Small Basic geben. Übersetzen wir sie einfach mal ins Englische:

```
If Antwort = "gut" Then
   TextWindow.WriteLine("Das freut mich!")
EndIf
If Antwort = "schlecht" Then
    TextWindow.WriteLine("Das tut mir leid!")
EndIf
```

≫ Baue diese Zeilen an der richtigen Stelle in dein Programm ein.

Wenn ... dann ...

Wenn dein Programm nicht laufen will und eine **Fehlermeldung** auftaucht, dann schau genau hin, was dort steht! Vielleicht ist ein Wort falsch getippt oder du hast ein Zeichen ausgelassen?

Wo ist der Fehler? Nicht immer ist genau die Stelle markiert, an der der Fehler zu finden ist! Manchmal kann Small Basic erst an einer späteren Stelle bemerken, dass ein Fehler vorliegt. Dann musst du den Fehler **weiter davor** suchen!

Schließlich sollte der Programmtext so aussehen (→ HALLO2.SB):

```
TextWindow.Write("Hallo, wer bist du? ")
Name = TextWindow.Read()
TextWindow.Write(Name + ", wie geht es dir? ")
Antwort = TextWindow.Read()
If Antwort = "gut" Then
  TextWindow.WriteLine("Das freut mich!")
EndIf
If Antwort = "schlecht" Then
  TextWindow.WriteLine("Das tut mir leid!")
EndIf
```

≫ Speichere das Programm mit dem bisherigen Quelltext. Weil der Name schon feststeht, genügt diesmal ein Klick auf SPEICHERN.. Eine andere Möglichkeit ist die Tastenkombination ⌈Strg⌉ ⌈S⌉.

≫ Starte das Programm mehrmals, gib die zwei verschiedenen Antworten und probiere aus, ob dein PC auch passend reagiert.

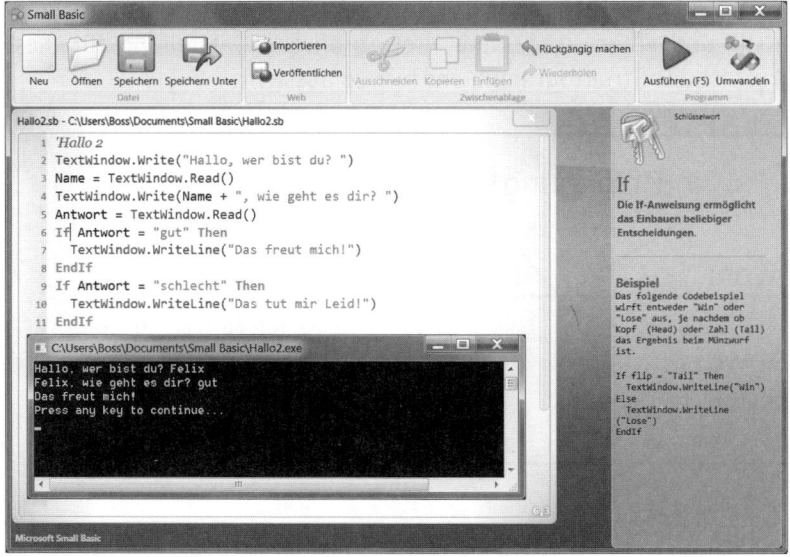

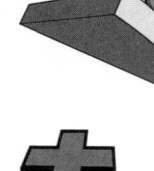

Klappt es nicht ganz? Das Programm läuft zwar, aber nicht immer antwortet dein PC richtig, oder auch gar nicht?

Vielleicht hast du das eine Mal »gut«, ein anderes Mal »GUT« eingetippt? Oder »Schlecht« statt »schlecht«?

Nach der Eingabe über Read vergleicht der Computer jedes einzelne Zeichen genau mit der Zeichenfolge »gut« oder »schlecht«. Dabei bedeutet für ihn ein großes »G« etwas anderes als ein kleines »g«. Achte also darauf, hier alle Antworten in Kleinbuchstaben einzugeben!

Eine weitere Fehlerquelle sind zu viel eingetippte Leerzeichen. Statt »gut« tippt man auch z.B. mal » gut « ein (mit einem Leerzeichen davor oder dahinter). Damit sind die Zeichenketten natürlich ebenfalls verschieden.

Die If-Struktur

Schauen wir uns jetzt mal die Struktur an, die dem Computer scheinbar ein bisschen Mitgefühl verleiht. Wie wird die Antwort ausgewertet?

Antwort =	JA	NEIN
"gut"	WriteLine ("Das freut mich!")	(weiter im Programm)
"schlecht"	WriteLine ("Das tut mir leid!")	(weiter im Programm)

Umgesetzt in eine Programmstruktur benutzen wir »Wenn« und »Dann« bzw. »If« und »Then«. Eine verbreitete grafische Darstellung für diese Struktur ist das **Struktogramm**, das hier so aussieht:

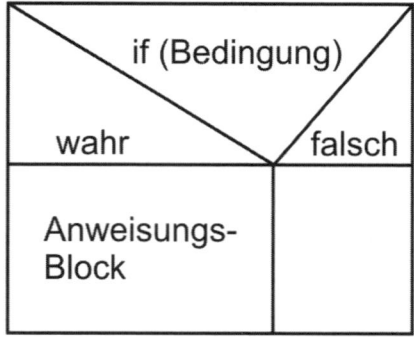

Zu Deutsch heißt das:

WENN eine bestimmte **Bedingung** erfüllt ist, DANN soll der Computer einen Anweisungsblock ausführen.

Die **Bedingung**, das ist hier:

```
Antwort = "gut"
```

oder auch:

```
Antwort = "schlecht"
```

Im **Anweisungsblock** stehen die Anweisungen, in diesem Fall nur diese eine:

```
WriteLine("Das freut mich!")
```

oder

```
WriteLine("Das tut mir leid!")
```

Eine weitere Möglichkeit der grafischen Darstellung – konkret für Small Basic – ist diese:

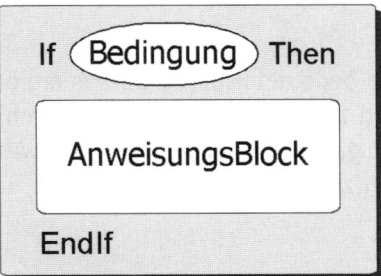

Das heißt, dass in einem Anweisungsblock natürlich auch **mehr als eine** Anweisung stehen kann. Immerhin könnte es ja sein, dass der Computer gleich eine ganze Seite von Sätzen ausspucken soll. Dann sind ein paar `Write`-Anweisungen nötig. Oder dein PC soll ein Bild oder sogar einen kleinen Film anzeigen. Auch dann kann er nicht alles mit einer einzigen Anweisung lösen.

Eine solche Struktur muss also mit `EndIf` abgeschlossen werden. Das Ganze nennt man `If`-Struktur oder **Kontrollstruktur**. Denn der Computer bekommt die Anweisung, etwas zu kontrollieren. Hier ist es das, was als `Antwort` eingetippt wird. Und davon abhängig reagiert er mit einer Ausgabe auf dem Bildschirm.

Allerdings nur, wenn in unserem Beispiel »gut« oder »schlecht« eingegeben wurde. Vertippt man sich oder gibt irgendetwas anderes ein, dann tut der Computer nichts: Er überspringt den Anweisungsblock, weil die Bedingung **nicht** erfüllt wurde.

> Probiere das einige Male aus, indem du irgendetwas anderes als »gut« oder »schlecht« eintippst!

Weil der Computer dafür keine Anweisung hat, wird er auch nicht darauf reagieren. Es ist also nichts auf dem Bildschirm zu sehen. Keine gute Lösung!

If und Else

Es müsste für solche Fälle eine passende Erweiterung geben. Die gibt es tatsächlich und könnte für »gut« z.B. so aussehen:

```
If Antwort = "gut" Then
   TextWindow.WriteLine("Das freut mich!")
Else
   TextWindow.WriteLine("Ich versteh nicht ...")
EndIf
```

Hast du das neue Wort entdeckt? Else bedeutet »sonst«. Daraus ergibt sich eine neue Struktur. Der Unterschied zur reinen If-Struktur besteht darin, dass es nicht mehr nur einen Zweig, sondern gleich **zwei** gibt, was die folgende Abbildung wohl eindeutiger zeigt:

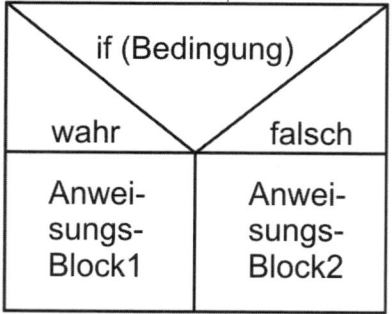

Das heißt dann zu Deutsch so viel wie:

WENN eine bestimmte Bedingung erfüllt ist,
DANN soll der Computer einen Anweisungsblock ausführen.

WENN sie **nicht** erfüllt ist (= SONST),
DANN soll der Computer einen **anderen** Anweisungsblock ausführen.

Die grafische Darstellung ändert sich gegenüber der einfachen If-Struktur nun auch ein bisschen:

```
If (Bedingung) Then

   AnweisungsBlock
        1

Else

   AnweisungsBlock
        2

EndIf
```

Die **Bedingung** ist hier wieder:

`Antwort = "gut"`

Und im ersten **Anweisungsblock** steht die Anweisung:

`WriteLine("Das freut mich!")`

Die führt dein PC aus, wenn die Bedingung erfüllt ist. Wenn **nicht**, kommt der zweite **Anweisungsblock** dran. Dort steht die Anweisung:

`WriteLine("Ich versteh nicht ...")`

Ebenso wie beim einfachen `If` spricht man auch hier von **Verzweigung**. Man kann das z.B. mit einer Straße vergleichen, auf der du fährst. Irgendwann kommt eine Abzweigung, bei der es zu McDonalds abgeht: WENN dich der Hunger plagt, DANN biegst du ab. SONST fährst du eben weiter.

Ohne `Else` müsste es so heißen:

```
If Antwort = "gut" Then
   WriteLine("Das freut mich!")
EndIf
If Antwort <> "gut" Then
   WriteLine("Ich versteh nicht ...")
EndIf
```

Wenn Bedingung erfüllt
dann   sonst

Als erste Bedingung steht dort:

`Antwort = "gut"`

Die zweite Bedingung ist genau das **Gegenteil**:

`Antwort <> "gut"`

Dort wurde das Gleichheitszeichen (=) durch zwei andere Zeichen ersetzt: Die Zeichen für **kleiner** (<) und für **größer** (>). Beide zusammen bedeuten **ungleich** (<>).

Die Zeile

```
If Antwort <> "gut" Then
```

kann hier also einfach durch das Wörtchen

```
Else
```

ersetzt werden.

≫ Ändere das `Hallo`-Programm nun um: Ersetze den `If`-Teil mit der Bedingung `Antwort = "schlecht"` durch einen `Else`-Teil. Dann probiere dein neues Programm aus (→ HALLO2A.SB).

Das Ergebnis ist nicht gerade berauschend: Nun antwortet der Computer zwar immer, ganz gleich, was du eingibst. Er kennt aber nur eine passende Antwort auf »gut«! Da war ja die vorige Lösung doch noch besser, denn da hat dein PC auch noch auf »schlecht« reagiert.

Und sonst?

Wie wäre es, wenn wir beiden Antworten (dem »gut« und dem »schlecht«) einen `Else`-Zweig spendieren? Das könnte dann so aussehen:

```
If Antwort = "gut" Then
   TextWindow.WriteLine("Das freut mich!")
Else
   TextWindow.WriteLine("Ich versteh nicht ...")
EndIf
If Antwort = "schlecht" Then
   TextWindow.WriteLine("Das tut mir leid!")
Else
   TextWindow.WriteLine("Ich versteh nicht ...")
EndIf
```

Dann hätten wir unsere alten Antworten wieder. Aber zusätzlich taucht der Satz »Ich versteh nicht ...« jetzt ständig auf. Das liegt daran, dass das `Else` sich immer auf das **direkt vorhergehende** `If-Then` bezieht!

Die einzige und auch viel elegantere Möglichkeit, Schritt für Schritt jede einzelne Antwort abzutesten, ist diese:

```
If Antwort = "gut" Then
   TextWindow.WriteLine("Das freut mich!")
ElseIf Antwort = "schlecht" Then
   TextWindow.WriteLine("Das tut mir leid!")
Else
   TextWindow.WriteLine("Ich versteh nicht ...")
EndIf
```

Man nennt das **Verschachtelung**:

◇ Erst wird getestet, ob die Antwort »gut« ist (If-Then).

◇ Wenn nicht, wird getestet, ob die Antwort »schlecht« ist (ElseIf-Then).

◇ Und für alles, was dann noch übrig bleibt (Else), gibt es den Satz »Ich versteh nicht ...«.

≫ Passe deinen Programmtext an. Er müsste dann dieses Aussehen haben (→ HALLO2B.SB):

```
TextWindow.Write("Hallo, wer bist du? ")
Name = TextWindow.Read()
TextWindow.Write(Name + ", wie geht es dir? ")
Antwort = TextWindow.Read()
If Antwort = "gut" Then
  TextWindow.WriteLine("Das freut mich!")
ElseIf Antwort = "schlecht" Then
  TextWindow.WriteLine("Das tut mir leid!")
Else
  TextWindow.WriteLine("Ich versteh nicht ...")
EndIf
```

Natürlich wird diese Verschachtelung mit ElseIf immer länger, je mehr Antworten der Computer auswerten soll. Aber so hast du schon ein bisschen den Eindruck, als würde dein PC dich verstehen.

Ein bisschen Grundrechnen

Nun haben wir mehr oder weniger nur an ein und demselben Programm herumgebastelt. Es wird Zeit, mal was ganz Neues anzufangen. Zuerst musst du das Editorfenster mit dem Hallo-Programm schließen. Denn das brauchst du jetzt nicht mehr.

≫ Klicke also auf das kleine X ganz oben rechts.

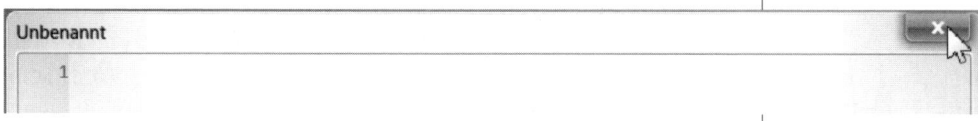

≫ Ein neues Editorfenster öffnest du über das Symbol für NEU. Oder du kombinierst die Tasten Strg N.

Und nun frisch ans Werk! Dein PC soll jetzt beweisen, dass er mindestens das kann, was ein Taschenrechner schon lange bringt. Die Mathematik macht den einen Spaß, für die anderen ist sie ganz einfach nur schrecklich. Aber weil hier der Computer rechnen soll, wird das Ganze nur halb so schlimm.

≫ Tippe diesen Programmtext ein (→ MATHE1.SB):

```
TextWindow.Write("Gib mal eine Zahl ein: ")
Zahl1 = TextWindow.Read()
TextWindow.Write("Und gleich noch eine : ")
Zahl2 = TextWindow.Read()
TextWindow.Write("Und jetzt den Operator (+,-,*,/): ")
Operator = TextWindow.Read()
TextWindow.Write("Ergebnis = ")
If Operator = "+" Then
   TextWindow.WriteLine(Zahl1 + Zahl2)
EndIf
If Operator = "-" Then
   TextWindow.WriteLine(Zahl1 - Zahl2)
EndIf
If Operator = "*" Then
   TextWindow.WriteLine(Zahl1 * Zahl2)
EndIf
If Operator = "/" Then
   TextWindow.WriteLine(Zahl1 / Zahl2)
EndIf
```

Bevor du dieses Programm laufen lässt, musst du ein paar Erklärungen über dich ergehen lassen. Zuerst werden zwei Zahlen und ein Operatorzeichen eingefordert. Die Variablen heißen passend Zahl1, Zahl2 und Operator. Dann folgt der Text, der für alle Ergebnisse gilt: »Ergebnis = «. Und schließlich sorgen die If-Strukturen dafür, dass eine ganz bestimmte Rechenoperation durchgeführt wird, je nachdem welches Zeichen du eingegeben hast. Angezeigt wird dann das Ergebnis dieser Rechnung.

Small Basic bietet in der TextWindow-Klasse neben der Methode Read auch eine mit dem Namen ReadNumber (→ MATHE1A.SB). Damit lassen sich Zahlen (statt Text) einlesen. Weil Small Basic jedoch so schlau ist, eine Zahl auch als Zahl zu erkennen, wenn es ans Rechnen geht, nimmt es uns nicht übel, wenn wir auch hier überall Read benutzen.

Alle vier Grundrechenarten stehen in Small Basic zur Verfügung. Allerdings unterscheiden sich einige **Operatoren** von denen, die du aus dem Matheunterricht oder vom Taschenrechner kennst:

	Mathematik	Taschenrechner	Computer
Addition	+	+	+
Subtraktion	–	–	–
Multiplikation	·	×	*
Division	:	÷	/

Unterschiede gibt es nur bei der Multiplikation und der Division (zu Deutsch: Malnehmen und Teilen).

≫ Und nun starte die neue Version und probiere sie mit mehreren Zahlen und allen Rechenarten aus.

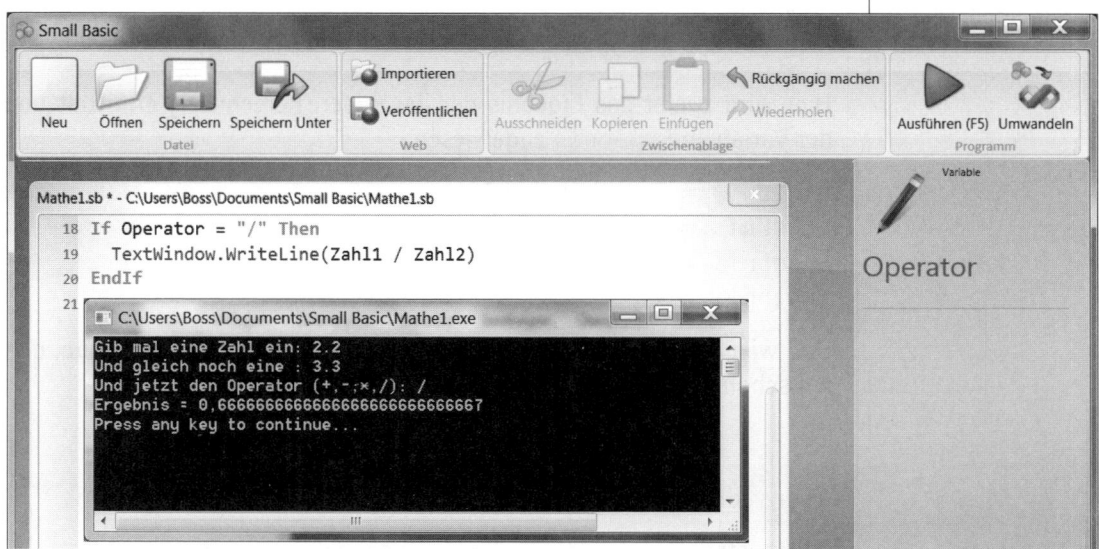

Zuweisung und Ergebnis

Manchmal ist es sinnvoll, das Ergebnis einer Berechnung in einer Variablen unterzubringen, z.B. wenn man sie in einem späteren Teil des Programms weiterverwenden will. Unser Mathe-Programm könnte dann diese Form annehmen (→ MATHE2.SB):

```
TextWindow.Write("Gib mal eine Zahl ein: ")
Zahl1 = TextWindow.Read()
TextWindow.Write("Und gleich noch eine : ")
Zahl2 = TextWindow.Read()
TextWindow.Write("Und jetzt den Operator (+,-,*,/): ")
Operator = TextWindow.Read()
If Operator = "+" Then
  Ergebnis = Zahl1 + Zahl2
EndIf
If Operator = "-" Then
  Ergebnis = Zahl1 - Zahl2
EndIf
If Operator = "*" Then
  Ergebnis = Zahl1 * Zahl2
EndIf
If Operator = "/" Then
  Ergebnis = Zahl1 / Zahl2
EndIf
TextWindow.WriteLine("Ergebnis = " + Ergebnis)
```

Hier wird zuerst das Ergebnis der jeweiligen Berechnung ermittelt und der Variablen Ergebnis zugewiesen:

```
Ergebnis = Zahl1 + Zahl2
Ergebnis = Zahl1 - Zahl2
Ergebnis = Zahl1 * Zahl2
Ergebnis = Zahl1 / Zahl2
```

Und wieder bekommen wir es mit dem **Zuweisungsoperator** zu tun, den wir schon von diesen **Zuweisungen** kennen:

```
Zahl1 = TextWindow.Read()
Zahl2 = TextWindow.Read()
Operator = TextWindow.Read()
```

Rechts steht eine Funktion oder eine Rechenformel, z.B.

```
Zahl1 + Zahl2
```

Und **links** sitzt die Variable, die den Wert annehmen soll, der bei der Eingabe oder Berechnung herausgekommen ist:

```
Ergebnis
```

Umgekehrt aber geht es nicht! Eine Zuweisung muss immer so aussehen:

> Variable = Formel

In Small Basic wie in anderen Basic-Versionen wird für Zuweisungen und Vergleiche dasselbe Zeichen (=) verwendet. Das ist in manchen Programmiersprachen anders. So benutzen u.a. C, C++, C# und Java für die Zuweisung auch ein einfaches (=), für den Vergleich zweier Werte aber ein doppeltes Gleichheitszeichen (==).

Am Schluss des Programms, unmittelbar nach der letzten If-Kontrolle, wird dann das Ergebnis präsentiert:

```
TextWindow.WriteLine("Ergebnis = " + Ergebnis)
```

Möglich wäre auch, die Variable Ergebnis mit Hilfe einer Kontrollstruktur auszuwerten (→ MATHE2A.SB):

```
If Ergebnis > 0 Then
  TextWindow.WriteLine("Die Zahl " + Ergebnis + "ist
positiv")
ElseIf Ergebnis < 0 Then
  TextWindow.WriteLine("Die Zahl " + Ergebnis + "ist
negativ")
Else
  TextWindow.WriteLine("Die Zahl ist Null")
EndIf
```

In Small Basic müssen sämtliche Anweisungen jeweils in einer (!) Zeile stehen – wie hier mit TextWindow.WriteLine.

Interessant ist, wie intelligent Small Basic ist: Man kann die Pluszeichen bunt mischen, auch wenn sie verschiedene Bedeutungen haben. Allerdings muss die Lage eindeutig sein. Bei

```
TextWindow.WriteLine("Ergebnis = " + Zahl1 + Zahl2)
```

wird alles zu einem Gesamttext verkettet, die Ziffern beider Zahlen hintereinander gesetzt. Aber bei

```
TextWindow.WriteLine("Ergebnis  =  "  +  (Zahl1  +
Zahl2))
```

erkennt Small Basic den Unterschied, **addiert** die Werte von Zahl1 und Zahl2, macht daraus ein Stück Text und **verkettet** es dann mit dem Text »Ergebnis = «.

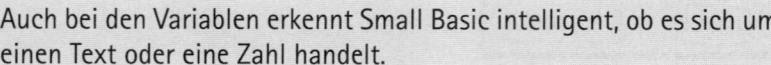

Auch bei den Variablen erkennt Small Basic intelligent, ob es sich um einen Text oder eine Zahl handelt.

Zusammenfassung

Es wird wieder Zeit zum Verschnaufen, ehe es zum nächsten Kapitel geht. Du weißt schon zwei Kleinigkeiten mehr über den Umgang mit Small Basic:

ÖFFNEN	Editorfenster mit einem vorhandenen Programm öffnen
SPEICHERN UNTER	Programm mit neuem Namen speichern (um altes zu behalten)

Und auch dein Programmierwissen in Small Basic ist wieder gewachsen. Hier die neuen Wörter, die du in diesem Kapitel kennen gelernt hast:

If	WENN eine Bedingung erfüllt ist
Then	DANN führe etwas aus (Anweisungsblock1)
Else	SONST mach was anderes (Anweisungsblock2)
ElseIf	neue Verschachtelung einleiten
EndIf	Kontrollstruktur abschließen
ReadNumber	eine Zahl einlesen

Nicht zu vergessen einige Operatoren, nicht nur zum Rechnen:

+	Zahlen addieren (plus)
-	Zahlen subtrahieren (minus)
*	Zahlen multiplizieren (mal)
/	Zahlen dividieren (durch)
+	Texte verketten
=	Werte/Texte zuweisen

Eine Frage ...

1. Was ist eine Zuweisung, was ein Vergleich mit »=«?

... und zwei Aufgaben

1. Erweitere das letzte Hallo-Programm um mindestens drei weitere Antworten und verwende dabei die ElseIf-Verschachtelung.

2. Schreibe ein Horoskop-Programm, das zu jedem eingegebenen Sternzeichen einen Antwortsatz ausgibt.

3
Vergleichen und wiederholen

Bei so manchem Programm kommt es schon mal vor, dass man etwas eingibt, was einfach falsch ist. Das ist auch dir bei den Programmbeispielen aus den letzten Kapiteln wohl ein paar Mal passiert – oder? Da könnte es doch nicht schaden, wenn man eine Eingabe so lange wiederholen darf, bis etwas Passendes eingetippt wurde.

Das ist aber nicht alles, was man mit Wiederholungen anstellen kann. Es gibt ja jede Menge Anwendungen und Spiele, bei denen Wiederholungen üblich und nötig sind.

In diesem Kapitel lernst du

◎ wie man Bedingungen verknüpft

◎ was Zufallszahlen sind und wie man sie erzeugt

◎ wie man Programmteile wiederholt

◎ die Verwendung von While kennen

◎ wie man aus einer Schleife aussteigen kann

◎ etwas über Goto

3

Zensurenbild

Als Erstes legen wir das Mathe-Programm zu den Akten, vorläufig zumindest. In unserem dritten Projekt geht es um Zensuren. Ein durchaus logischer Schritt, nachdem wir erst mit einem Mathe-Programm gearbeitet haben, das schon einen Hauch von Schule in dieses Buch gebracht hat.

≫ Wenn nicht schon geschehen, schließe das Editorfenster mit diesem Programm, indem du auf das X in der Fensterecke oben links klickst.

≫ Dann öffne ein neues Fenster mit Klick auf NEU.

Das folgende Programm soll dir eine Zensur ausgeben, nachdem du die Punkte eingegeben hast, die du z.B. bei einem schriftlichen Test erreicht hast. Ich orientiere mich dabei an dieser Aufteilung (und gehe dabei von ganzen Punktwerten aus):

Punkte von	Punkte bis	Zensur (Text)	Zensur (Zahl)
0	24	ungenügend	6
25	44	mangelhaft	5
45	64	ausreichend	4
65	79	befriedigend	3
80	89	gut	2
90	100	sehr gut	1

Du kannst natürlich diese Unterteilung nach Belieben ändern, wenn du willst. Wie aber machen wir daraus Bedingungen für den Computer? Fangen wir mit der miesesten Zensur an:

WENN die Punkte zwischen 0 und 24 liegen, DANN schreib »Ungenügend (6)«

So könnte die erste Formulierung lauten. Auf Englisch würde das dann so klingen:

```
If Punkte Between 0 And 24 Then
  TextWindow.WriteLine("Ungenügend (6)")
EndIf
```

Wie schade, dass Small Basic mit einem Between nichts anfangen kann! Hier ist also schon einiges mehr an Mathematik gefragt. Versuchen wir's mal so: »Dazwischen« heißt ja, dass der Punktwert zum einen größer oder gleich 0 sein muss: Als Bedingung formuliert sieht das dann so aus:

```
Punkte >= 0
```

Zum anderen sind es bei einer 6 weniger als 25 Punkte. Das ergibt diese Bedingung:

```
Punkte < 25
```

(Wobei hier auch eine Punktzahl von 24,5 erfasst wäre. Die Werte müssen also nicht zwangsläufig ganzzahlig sein.)

Nun müssen wir beide noch miteinander verknüpfen. Das erledigt das And, das es in Small Basic auch wirklich gibt:

```
(Punkte >= 0) And (Punkte < 25)
```

> Die Klammern sind hier zwar nicht zwingend, weil Small Basic auch so erkennt, was zur ersten und was zur zweiten Bedingung gehört. Aber sie dienen der besseren Übersicht und schließen jeden Zweifel aus.

Puh, war das ein Akt! Und jetzt noch mal für alle anderen fünf Zensuren? Steht doch schon alles in dem Programmtext weiter unten.

Und und Oder, oder?

≫ Tippe den folgenden Programmtext ein (→ ZENSUR1.SB):

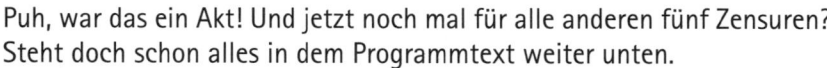

```
TextWindow.Write("Gib deine Punkte ein: ")
Punkte = TextWindow.Read()
TextWindow.Write ("Das ist ")
If (Punkte >= 0) And (Punkte < 25) Then
  TextWindow.WriteLine("ungenügend (6)")
EndIf
If (Punkte >= 25) And (Punkte < 45) Then
  TextWindow.WriteLine("mangelhaft (5)")
EndIf
If (Punkte >= 45) And (Punkte < 65) Then
  TextWindow.WriteLine("ausreichend (4)")
EndIf
If (Punkte >= 65) And (Punkte < 80) Then
  TextWindow.WriteLine("befriedigend (3)")
EndIf
If (Punkte >= 80) And (Punkte < 90) Then
  TextWindow.WriteLine("gut (2)")
EndIf
If (Punkte >= 90) And (Punkte <= 100) Then
```

3

```
      TextWindow.WriteLine("sehr gut (1)")
EndIf
If (Punkte > 100) Or (Punkte < 0) Then
   TextWindow.WriteLine("ungültig (0)")
EndIf
```

Mehrfaches Eintippen kannst du dir sparen, wenn du die Methoden zum Ausschneiden und Einfügen benutzt:

1. Erst muss der Text markiert werden, mit ⬆ und den Pfeiltasten oder der Maus bei gedrückter linker Maustaste.

2. Über AUSSCHNEIDEN kannst du den markierten Text ausschneiden und in einen Zwischenspeicher einfügen, auch Zwischenablage genannt.

3. Über KOPIEREN kannst du den markierten Text in die Zwischenablage kopieren.

4. Über EINFÜGEN kannst du etwas aus der Zwischenablage in deinen Text einfügen.

≫ Und nun starte das Programm über AUSFÜHREN oder mit F5. Und probiere es mit mehreren (auch scheinbar unmöglichen) Werten aus.

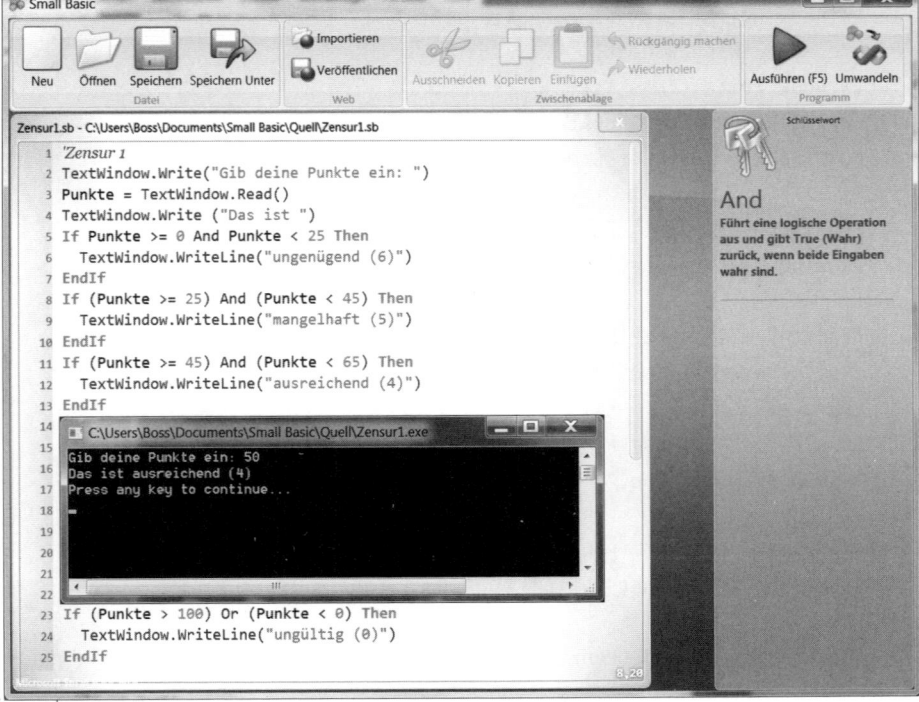

Und und Oder, oder?

Kriegst du alle Bedingungen zusammen? Wenn du genau hinsiehst, entdeckst du sogar neben dem ständigen And noch ein Or in der letzten Programmzeile.

Diese beiden Wörter sind so genannte **Verknüpfungsoperatoren**. Wie der Name schon sagt, sind sie sozusagen der Klebstoff, mit dem man mehrere Bedingungen zusammenfügen kann. Dabei haben sie diese Bedeutung:

And:	Hier müssen **alle** Bedingungen erfüllt sein, damit der Anweisungsblock hinter Then ausgeführt wird.
Or:	Hier muss **nur eine** Bedingung erfüllt sein, damit der Anweisungsblock hinter Then ausgeführt wird.

Klar ist, dass für alle Zensuren jeweils **beide** Bedingungen erfüllt sein müssen. Aber da ist ja noch eine weitere If-Then-Anweisung:

```
If (Punkte > 100) Or (Punkte < 0) Then
  TextWindow.WriteLine("ungültig (0)")
EndIf
```

Die ist für den Fall, dass jemand bei der Eingabe seiner Punkte mogelt: Mehr als 100 Punkte sind nämlich nicht erlaubt, daher die Bedingung:

```
Punkte > 100
```

Negative Zahlen sind ebenfalls nicht zulässig, denn man soll sich ja auch nicht schlechter als »Ungenügend« machen! Deshalb diese Bedingung:

```
Punkte < 0
```

Eine von beiden kann ja nur gelten. (Oder kennst du eine Zahl, die negativ und größer als 100 ist?) Also ist hier das And fehl am Platz und muss dem Or weichen.

Da sind bei den verschiedenen Bedingungen einige Zeichen aufgetaucht, z.B. < oder >. Sie heißen **Vergleichsoperatoren**. Mit diesem Programm hast du jetzt eigentlich alle kennen gelernt. Hier sind sie auf einen Blick:

Operator	Bedeutung	Operator	Bedeutung
=	gleich	<>	ungleich
<	kleiner	>=	größer oder gleich
>	größer	<=	kleiner oder gleich

Dabei stehen immer die Operatoren in einer Zeile, von denen der erste jeweils das Gegenteil des zweiten ist.

Wie schon erwähnt, sieht in Small Basic der Operator für die Gleichheit genauso aus wie der Zuweisungsoperator (=).

Ein kleines Ratespiel

Wenn deine Ansprüche nicht schon durch 3D-Grafik und Stereosound zu hoch sind, wird dir vielleicht ein kleines Ratespiel Spaß machen, das ganz ohne Ton und Bilder auskommt. Auf jeden Fall kannst du stolz darauf sein, dass du selbst ein eigenes Spiel programmiert hast. Legen wir los:

≫ Schließe das Editorfenster mit dem letzten Projekt, öffne ein neues und tippe diesen Programmtext neu ein (→ RATEN1.SB):

```
Regel = "Ich denke mir eine Zahl zwischen 1 und 1000"
Zufall = Math.GetRandomNumber(1000)
TextWindow.WriteLine(Regel)
TextWindow.Write("Rate mal: ")
Eingabe = TextWindow.Read()
If Eingabe < Zufall Then
   TextWindow.WriteLine("Zu klein!")
EndIf
If Eingabe > Zufall Then
   TextWindow.WriteLine("Zu groß!")
EndIf
If Eingabe = Zufall Then
   TextWindow.WriteLine("Richtig!")
EndIf
```

Es gibt gleich zu Anfang eine Neuigkeit, die dir sicher schon aufgefallen ist. Math ist eine Klasse, die eine ganze Menge mathematischer Funktionen bereitstellt. Eine davon ist GetRandomNumber. Zuerst wird ein Zufallsgenerator gestartet. Der Computer berechnet nach einer Formel von Small Basic einen zufälligen Wert zwischen 1 und einer gegebenen Obergrenze.

Das Ergebnis lässt sich dann in einer Variablen speichern, hier hat sie den Namen Zufall:

```
Zufall = GetRandomNumber(1000)
```

Laut Spielregel sind hier die Zahlen zwischen 1 und 1000 erfasst. Und damit ist eigentlich schon das meiste über das Programm gesagt. Die Zufallszahl, die dein PC sich ausdenkt, sollst du raten. Dazu tippst du eine Zahl ein, von der du glaubst, sie wäre die richtige, der Computer speichert den Wert in der Variablen Eingabe und vergleicht ihn mit seiner gedachten Zahl:

```
If Eingabe < Zufall Then
  TextWindow.WriteLine("Zu klein!")
EndIf
If Eingabe > Zufall Then
  TextWindow.WriteLine("Zu groß!")
EndIf
If Eingabe = Zufall Then
  TextWindow.WriteLine("Richtig!")
EndIf
```

Das tut er dreimal und benutzt dafür außer dem Gleichheitszeichen (=) noch die Zeichen für **kleiner** (<) und **größer** (>), die du aus dem letzten Kapitel schon kennst. So hast du eine Orientierung, in welche Richtung du weiterraten musst, um zur richtigen Zahl zu kommen.

Du willst das Programm jetzt endlich ausprobieren? Nur zu!

≫ Speichere dein Programm erst mal über SPEICHERN UNTER mit dem Namen RATEN1.SB ab.

≫ Und nun starte das Programm über AUSFÜHREN oder mit ⌨F5.

Das Programm läuft zwar, doch eine Enttäuschung wird dir nicht erspart bleiben: Nur ein **einziges** Mal Raten ist nun wirklich zu wenig! Wie soll man da eine Zahl von tausend möglichen rauskriegen? Und auch wenn man das Programm immer wieder laufen lässt, bringt das nichts: Denn dein PC denkt sich ja bei jedem Programmstart eine neue Zahl aus.

Spaß kann so ein Spiel nur machen, wenn man **mehrere** Male raten kann. Dazu müsste das Programm automatisch wiederholt werden. Und das geht nur mit einer neuen Struktur, die so funktionieren sollte:

> SOLANGE die Zahl nicht geraten wurde,
> lasse eine Zahl eingeben und auswerten.

Für den Computer muss das natürlich in Small Basic formuliert werden. Außerdem ist »die Zahl nicht geraten wurde« ein zu ungenauer Ausdruck. Das sollte schon mathematisch exakter sein:

```
Eingabe <> Zufall
```

Und hier ist die passende Struktur für **Wiederholungen**:

```
While Eingabe <> Zufall
  TextWindow.Write("Rate mal: ")
  Eingabe = TextWindow.Read()
  If Eingabe < Zufall Then
    TextWindow.WriteLine("Zu klein!")
  EndIf
  If Eingabe > Zufall Then
    TextWindow.WriteLine("Zu groß!")
  EndIf
EndWhile
```

Entscheidend ist das neue Wort While, der englische Begriff für SOLANGE.

Alles, was zwischen While und EndWhile steht, wird nun wiederholt, solange diese Bedingung erfüllt ist:

```
Eingabe <> Zufall
```

Die Anweisungsfolge

```
If Eingabe = Zufall Then
  TextWindow.WriteLine("Richtig!")
EndIf
```

können wir auch aus dieser Wiederholung herausnehmen, weil sie ja erst am Schluss erscheinen soll, wenn die Zahl geraten wurde. Deshalb lässt sie sich auch ganz ans Ende setzen und so verkürzen:

```
TextWindow.WriteLine("Richtig!")
```

Die While-Struktur

≫ Ergänze deinen Programmtext um die Wiederholungsteile – mit While (→ RATEN2.SB). Der Text könnte dann etwa so aussehen:

```
Regel = "Ich denke mir eine Zahl zwischen 1 und 1000"
Zufall = Math.GetRandomNumber(1000)
TextWindow.WriteLine(Regel)
While Eingabe <> Zufall
  TextWindow.Write("Rate mal: ")
  Eingabe = TextWindow.Read()
  If Eingabe < Zufall Then
    TextWindow.WriteLine("Zu klein!")
  EndIf
```

```
  If Eingabe > Zufall Then
    TextWindow.WriteLine("Zu groß!")
  EndIf
EndWhile
TextWindow.WriteLine("Richtig!")
```

≫ Speichere dein Programm unter einem neuen Namen ab.

Nehmen wir die `While`-Struktur ein bisschen genauer unter die Lupe. Im Struktogramm sieht das Ganze so aus:

Zu Deutsch bedeutet das:

SOLANGE eine bestimmte Bedingung erfüllt ist,
soll der Computer einen Anweisungsblock WIEDERHOLEN.

Die **Bedingung**, das ist hier:

```
Eingabe <> Zufall
```

Im **Anweisungsblock** stehen die Anweisungen, in diesem Fall eine ganze Reihe:

```
TextWindow.Write("Rate mal: ")
Eingabe = TextWindow.Read()
If Eingabe < Zufall Then
  TextWindow.WriteLine("Zu klein!")
EndIf
If Eingabe > Zufall Then
  TextWindow.WriteLine("Zu groß!")
EndIf
```

Sowohl die Eingabe einer Zahl als auch ihre Auswertung müssen ja wiederholbar sein.

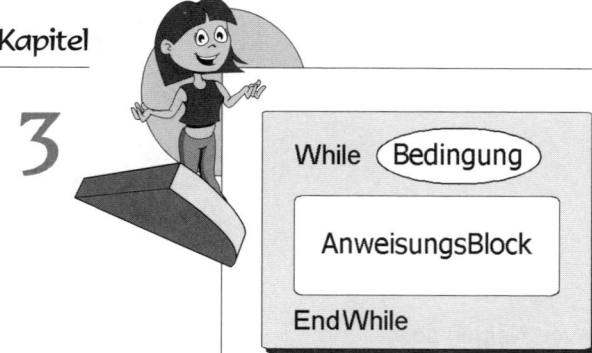

Wie schon in den letzten Kapiteln bei If-Then haben wir es ebenfalls mit einer **Kontrollstruktur** zu tun. Denn auch hier bekommt der Computer die Anweisung, etwas zu kontrollieren. Dabei vergleicht er die Werte von Eingabe und Zufall und entscheidet dann über eine Wiederholung von Anweisungen.

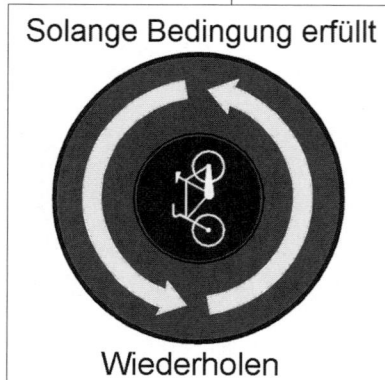

Man kann das z.B. mit einer Straße vergleichen, bei der man im Kreisverkehr steckt, SOLANGE die passende Ausfahrt noch nicht gefunden wurde, weshalb man diese Struktur auch **Schleife** nennt:

Innerhalb dieser Kontrollstruktur gibt es in unserem Fall dann gleich noch was zu kontrollieren, denn in zwei If-Anweisungen wird getestet, ob die eingegebene Zahl kleiner oder größer ist als die Zufallszahl. Und davon abhängig reagiert dein PC mit einer Ausgabe auf dem Bildschirm.

Dein PC zählt mit

Da hat sich in dem Programm ja einiges an Kontrollstrukturen angesammelt. Jetzt wird es für dich Zeit, mal auszuprobieren, was das Ganze bringt.

≫ Lass das Programm mehrmals laufen. Mit etwas Übung (und Überlegung) müsste es dir gelingen, mit nicht viel mehr als zehn Versuchen auszukommen. (Kleiner Tipp: Versuche, immer die passende Mitte zu finden!)

Wenn du das Raten-Programm ein paar Mal gespielt hast, wirst du gegen ein bisschen mehr Bedienungskomfort nichts haben. So wäre es nicht zu verachten, wenn der Computer deine Rateversuche mitzählt.

Dazu brauchen wir eine neue Variable, nennen wir sie Versuche. Vor der Schleife (Repeat) erhält Versuche erst einmal den Wert 0, denn es wurde ja noch nicht geraten:

```
Versuche = 0
```

In der Schleife (zwischen While und EndWhile) muss dieser Wert dann mit jedem Rateversuch um 1 weitergezählt werden. Das erledigt diese Zuweisung:

```
Versuche = Versuche + 1
```

Dein PC holt sich den aktuellen Wert der Variablen Versuche und addiert eine 1 dazu. Dann weist er das Ergebnis der Variablen Versuche wieder zu. Dadurch ist der neue Wert nun um 1 größer als der alte.

Eine **Zuweisung** ist keine Gleichung, wie du sie aus dem Matheunterricht kennst!

Der Computer führt immer zuerst das aus, was rechts vom Zuweisungsoperator (=) steht. Hier berechnet er auf der rechten Seite die Formel

```
Versuche + 1
```

Dann geht er nach links und übergibt das Ergebnis als neuen Wert an die Variable. Vielleicht würde ein Pfeil diesen Vorgang besser erklären:

```
Versuche ← Versuche + 1
```

Nehmen wir an, in Versuche ist der Startwert 0. Dann könnte das Ganze so aussehen:

Dein PC führt aus:	Das passiert:	Werte:
Zuweisen	Versuche ← 0	0
Berechnen	Versuche + 1	0 + 1
Zuweisen	Versuche ← Ergebnis	1

Der alte Wert von Versuche ist also durch einen neuen ersetzt worden. Beim nächsten Rateversuch wird aus der 1 dann eine 2 usw.

Zusätzlich ist eine letzte Print-Anweisung nötig, die darüber informiert, wie oft geraten wurde:

```
TextWindow.WriteLine("du hast " + Versuche + " Mal
geraten.")
```

Auch diese Anweisung nimmt im Editor nur eine Zeile ein.

≫ Tja, und nun heißt es wieder Eintippen (→ RATEN3.SB). Hier ist der komplette Programmtext:

```
Regel = "Ich denke mir eine Zahl zwischen 1 und 1000"
Zufall = Math.GetRandomNumber(1000)
Versuche = 0
TextWindow.WriteLine(Regel)
While Eingabe <> Zufall
  TextWindow.Write("Rate mal: ")
  Eingabe = TextWindow.Read()
  Versuche = Versuche + 1
  If Eingabe < Zufall Then
    TextWindow.WriteLine("Zu klein!")
  EndIf
  If Eingabe > Zufall Then
    TextWindow.WriteLine("Zu groß!")
  EndIf
EndWhile
TextWindow.WriteLine("Richtig!")
TextWindow.WriteLine("Du hast " + Versuche + " Mal geraten.")
```

(Achte auch hier darauf, dass jede WriteLine-Anweisung komplett in einer Zeile steht.)

```
C:\Users\Boss\Documents\Small Basic\Quell\Raten3.exe              _ □ X
Ich denke mir eine Zahl zwischen 1 und 1000
Rate mal: 500
Zu groß!
Rate mal: 250
Zu klein!
Rate mal: 370
Zu groß!
Rate mal: 310
Zu klein!
Rate mal: 340
Zu groß!
Rate mal: 330
Zu klein!
Rate mal: 335
Zu groß!
Rate mal: 333
Richtig!
Du hast 8 Mal geraten.
Press any key to continue...
```

Noch mehr Spielkomfort

≫ Lass das (neue) Raten-Programm ruhig ein paar Mal laufen.

Irgendwann kommt der Moment, wo du dir sagst: Ist ja ganz nett, das Spiel. Aber ich hab jetzt die Nase voll und keine Lust zum Weiterraten. Ich will da wieder raus!

Dann geht das ja zum Beispiel über das X-Symbol ganz oben rechts am Fensterrand, das übliche Schließsymbol für Windows-Fenster also. Aber geht es nicht auch eleganter, sozusagen aus dem Spiel heraus?

Wie wäre es z.B. mit einem Ausstieg durch die Eingabe einer Null. Das lässt sich mit einer Zeile erledigen:

```
If Eingabe = 0 Then
  Program.End()
EndIf
```

Mit der Methode End wird das Programm verlassen. Dazu bemühen wir die Klasse Program, die noch ein paar andere Methoden zur Programm-steuerung bietet.

Allerdings ist dann das Programm komplett vorbei. Wie können wir die Schleife vorzeitig verlassen? Durch einen kleinen Trick, für den wir aller-dings eine weitere Hilfsvariable brauchen:

```
If Eingabe = 0 Then
  Eingabe = Zufall
  Spiel = -1
EndIf
```

Nun ist die Bedingung für eine Wiederholung der Schleife nicht mehr erfüllt. Die Variable Spiel setzen wir ganz zu Anfang auf 0. Und so wird am Ende noch etwas über den Spielverlauf angezeigt:

```
If Spiel = 0 Then
  TextWindow.WriteLine("Richtig!")
Else
  TextWindow.WriteLine("Die Zahl ist " + Zufall)
EndIf
```

So erfährst du entweder, dass du richtig geraten hast, oder du siehst die Zahl, die sich dein PC ausgedacht hat. In jedem Fall bekommst du ange-zeigt, wie oft du geraten hast. So viel Komfort sollten wir uns schon leis-ten (man gönnt sich ja sonst nichts).

Das führt uns zu diesem Programmtext (→ RATEN4.SB):

```
Regel = "Ich denke mir eine Zahl zwischen 1 und 1000"
Zufall = Math.GetRandomNumber(1000)
Versuche = 0
Spiel = 0
TextWindow.WriteLine(Regel)
While Eingabe <> Zufall
  TextWindow.Write("Rate mal: ")
  Eingabe = TextWindow.Read()
  Versuche = Versuche + 1
  'Spiel-Ende mit Null
  If Eingabe = 0 Then
    Eingabe = Zufall
    Spiel = -1
  EndIf
  If Eingabe < Zufall Then
    TextWindow.WriteLine("Zu klein!")
  EndIf
  If Eingabe > Zufall Then
    TextWindow.WriteLine("Zu groß!")
  EndIf
EndWhile
If Spiel = 0 Then
  TextWindow.WriteLine("Richtig!")
Else
  TextWindow.WriteLine("Die Zahl ist " + Zufall)
EndIf
TextWindow.WriteLine("Du hast " + Versuche + " Mal geraten.")
```

≫ Passe die alte Version des Raten-Programms entsprechend an. Und nun kannst du raten, so lange du willst.

Goto gibt's auch noch

Nicht unerwähnt bleiben soll eine weitere Möglichkeit von Small Basic, nicht nur aus einer Schleife herauszukommen, sondern in einem Programm von einer Stelle an eine beliebige andere zu springen. Ich stelle dir hier gleich das geänderte Programm noch einmal komplett vor, dann greifen wir uns die zwei Stellen heraus, um die es geht (→ RATEN4A.SB):

```
Regel = "Ich denke mir eine Zahl zwischen 1 und 1000"
Zufall = Math.GetRandomNumber(1000)
Versuche = 0
Spiel = 0
```

```
TextWindow.WriteLine(Regel)
While Eingabe <> Zufall
  TextWindow.Write("Rate mal: ")
  Eingabe = TextWindow.Read()
  Versuche = Versuche + 1
  'Spiel-Ende mit Null
  If Eingabe = 0 Then
    Goto Ende
  EndIf
  If Eingabe < Zufall Then
    TextWindow.WriteLine("Zu klein!")
  EndIf
  If Eingabe > Zufall Then
    TextWindow.WriteLine("Zu groß!")
  EndIf
EndWhile
TextWindow.WriteLine("Richtig!")
Ende:
TextWindow.WriteLine("Die Zahl ist " + Zufall)
TextWindow.WriteLine("Du hast " + Versuche + " Mal geraten.")
```

Bei Eingabe einer Null verlässt der PC über Goto die aktuelle Programm-zeile:

```
If Eingabe = 0 Then
  Goto Ende
EndIf
```

Doch wohin springt er? Dazu benötigen wir eine so genannte **Sprung-marke**. Die legen wir hinter die Schleife und auch noch hinter die Schreibanweisung mit der Bemerkung »Richtig«:

```
Ende:
```

Wichtig ist der Doppelpunkt direkt hinter dem Namen der Marke. Ohne den könnte Small Basic Ende z.B. für eine Variable halten.

> Der Goto-Befehl kann ganz schön mächtig sein, denn man kann ja irgendwo mitten aus einem Programm heraus- und irgendwo wieder hineinspringen. Deshalb sollte man Sprungmarken immer mit Bedacht setzen. Besser noch: Du vermeidest den Sprungbefehl und sollst ihn auch nur für Notfälle kennen. Benutze ihn nur, wenn du aus einer Programmstelle anders nicht mehr herauskommst. In der Regel und bei gutem Programmierstil wird Goto nicht gebraucht. Aber es schadet nicht, von diesem kleinen Helfer in der Not zu wissen.

Zusammenfassung

Für uns wird es wieder Zeit zu einer kleinen Zusammenfassung. Auf jeden Fall hat sich für dich der Wortschatz in Small Basic wieder ein ganzes Stück vergrößert:

And	Bedingungen verknüpfen (alle müssen erfüllt sein)
Or	Bedingungen verknüpfen (eine muss erfüllt sein)
Math	»Paket« mit zahlreichen mathematischen Methoden
GetRandomNumber	eine ganze Zufallszahl erzeugen
While	SOLANGE eine Bedingung erfüllt ist, wiederhole etwas (Anweisungsblock)
EndWhile	Kontrollstruktur abschließen
Goto	eine Programmstelle verlassen
Program	Klasse mit Hilfsfunktionen für den Programmverlauf
End	ein Programm beenden

Hinzu kommen jede Menge Vergleichsoperatoren:

$$= \qquad <> \qquad\qquad\qquad \text{(gleich/ungleich)}$$
$$< \qquad > \qquad <= \qquad >= \qquad \text{(kleiner/größer)}$$

Ein paar Fragen ...

1. Erläutere den Unterschied zwischen »<« und »<=« bzw. »>« und »>=«.

2. Was geschieht bei diesen Zuweisungen genau:

```
Anzahl = Anzahl + 1
Anzahl = Anzahl - 1
Anzahl = Anzahl * 2
```

3. Wie heißt in diesem Programmstück die Bedingung, die dem Else entspricht?

```
TextWindow.WriteLine("Gib eine Zensur (1-6) ein: ")
Zensur = TextWindow.Read()
```

```
If (Zensur <= 0) Or (Zensur > 6) Then
  TextWindow.WriteLine("Falsch")
Else
  TextWindow.WriteLine("Richtig")
EndIf
```

... und ein paar Aufgaben

1. In der gymnasialen Oberstufe gilt eine andere Aufteilung für die Zensuren. Dort gibt es Punkte von 0 bis 15. Dabei gelten 0 Punkte als »ungenügend«, die übrigen Wertungen erfolgen in Dreierschritten. Passe das Zensuren-Programm so an, dass es auch für diese Unterteilung eingesetzt werden kann.

2. In einem Alter-Programm kannst du dein Alter (oder das einer anderen Person) eingeben. Ähnlich abgestuft wie beim Zensur-Programm soll der Computer dann zu einem beliebigen Altersbereich eine möglichst passende Antwort geben.

4

Geld-Spielereien

Schon mal Lotto gespielt? Obwohl Mathematiker dringend davon abraten, glauben viele, dass ausgerechnet sie irgendwann doch mal zum Millionär werden. Dabei stehen die Chancen weitaus besser, wenn man das Geld irgendwo anlegt und ein paar Jahre bis Jahrzehnte warten kann, dann hat man vielleicht irgendwann wirklich die erste Million zusammen. Dein PC kann dir dabei helfen, diesen Zeitpunkt herauszufinden.

In diesem Kapitel lernst du

◎ die For-Schleife kennen

◎ die Bedeutung von Step kennen

◎ wie man den PC auch mal Pausen machen lässt

◎ etwas über die Klasse Text

Spiel mit dem Glück

Wie wäre es mit einer anderen Spielvariante mit Zahlen, diesmal als Glücksspiel? Wenn der Computer Zufallszahlen zwischen 1 und 1000 erzeugen kann, dann ganz bestimmt auch die Werte eines Würfels (also 1 bis 6).

4

Du hast in diesem Fall bei einem Programmlauf nichts weiter zu tun, als zu warten. Das Werfen beider Würfel übernimmt dein PC mit Hilfe des Zufalls.

➤ Tippe den folgenden Quelltext ein und lass das Programm dann mehrmals laufen (→ WUERFEL1.SB):

```
'Würfel 1
TextWindow.WriteLine("Lass uns würfeln!")
Versuche = 0
DeinWert = 0
MeinWert = 0
While Versuche < 6
  Versuche = Versuche + 1
  TextWindow.WriteLine(Versuche + ". Runde")
  TextWindow.Write("Du bist dran: ")
  Wurf1 = Math.GetRandomNumber(6)  'Dein Würfel rollt
  Program.Delay(500)   'Halbe Sekunde warten
  TextWindow.WriteLine(Wurf1)
  TextWindow.Write ("Ich bin dran: ")
  Wurf2 = Math.GetRandomNumber(6)  'Mein Würfel rollt
  Program.Delay(500)  'Halbe Sekunde warten
  TextWindow.WriteLine(Wurf2)
  If Wurf1 > Wurf2 Then
    DeinWert = DeinWert + 1
  EndIf
  If Wurf1 < Wurf2 Then
    MeinWert = MeinWert + 1
  EndIf
  TextWindow.WriteLine(DeinWert + " zu " + MeinWert)
  Program.Delay(1000)   'Eine Sekunde warten
  TextWindow.WriteLine("")
EndWhile
If DeinWert > MeinWert Then
  TextWindow.WriteLine("Du hast gewonnen")
ElseIf DeinWert < MeinWert Then
  TextWindow.WriteLine("Ich habe gewonnen")
Else
  TextWindow.WriteLine("Unentschieden")
EndIf
```

Eigentlich nichts Neues – oder? Doch? Du hast das Wörtchen `Delay` entdeckt? Eine Methode der Klasse `Program`. Damit kannst du ein Programm warten lassen, z.B. bei

```
Program.Delay(500)
Program.Delay(1000)
```

500 bzw. 1000 Millisekunden, also eine halbe bis eine ganze Sekunde lang. (Wenn dir das nicht passt, ändere die Werte entsprechend.)

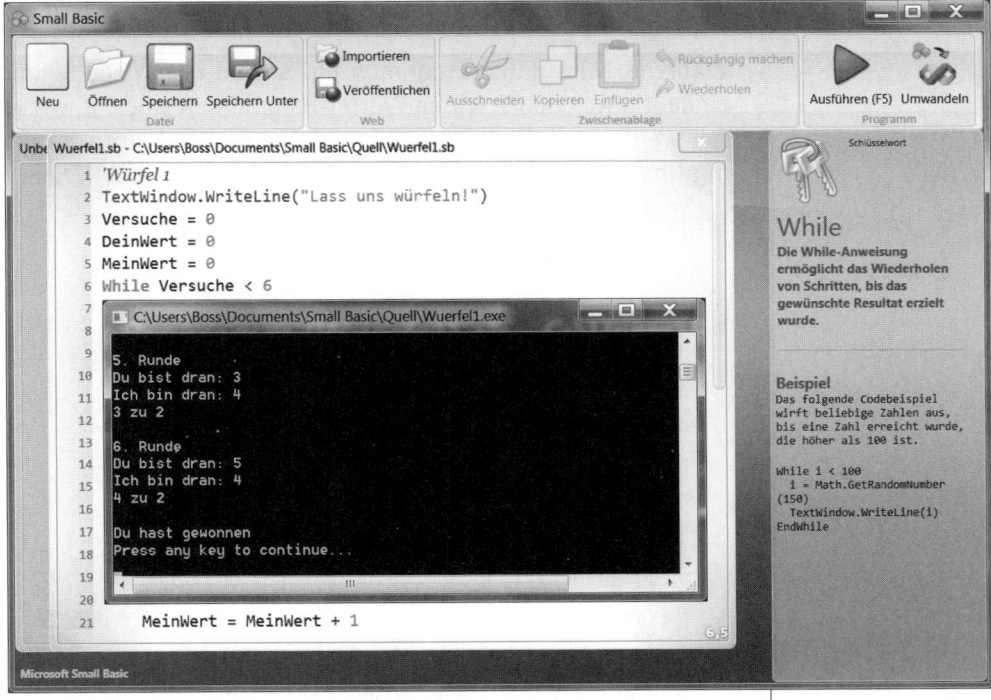

Vielleicht hast du im Programmtext noch hier und dort einen einfachen Anführungsstrich (') gesehen. Du erinnerst dich, wozu die gut sind? Damit leitet man einen **Kommentar** ein, also Bemerkungen, die z.B. eine Anweisung näher erläutern sollen, beispielsweise:

```
'Dein Würfel rollt
'Eine Sekunde warten
```

Das nur zur Erinnerung.

An einer Stelle fällt noch auf, dass `WriteLine` als Parameter in Klammern eigentlich nichts übernimmt. Man nennt die zwei direkt hintereinander gesetzten Anführungszeichen (") auch eine leere Zeichenkette oder **Leerkette**.

Das bedeutet, dass hier nichts ausgegeben wird, der Textcursor aber trotzdem in die nächste Zeile springt: Dadurch entsteht eine **Leerzeile**. Die ist dann besonders praktisch, wenn Textzeilen voneinander abgesetzt werden sollen – einfach nur, weil es manchmal besser aussieht.

Die For-Struktur

Während beim Raten-Programm die Anzahl der Wiederholungen nicht eindeutig war, haben wir im Würfel-Programm festgelegt, wie oft gewürfelt werden soll. Da drängt sich mir eine andere Kontrollstruktur als die mit While auf, die Small Basic auch noch bietet (→ WUERFEL2.SB):

```
'Würfel 2
TextWindow.WriteLine("Lass uns würfeln!")
Versuche = 0
DeinWert = 0
MeinWert = 0
For Versuche = 1 To 6
  TextWindow.WriteLine(Versuche + ". Runde")
  TextWindow.Write("Du bist dran: ")
  Wurf1 = Math.GetRandomNumber(6)  'Dein Würfel rollt
  Program.Delay(500)    'Halbe Sekunde warten
  TextWindow.WriteLine(Wurf1)
  TextWindow.Write ("Ich bin dran: ")
  Wurf2 = Math.GetRandomNumber(6)  'der PC-Würfel rollt
  Program.Delay(500)    'Halbe Sekunde warten
  TextWindow.WriteLine(Wurf2)
  If Wurf1 > Wurf2 Then
    DeinWert = DeinWert + 1
  EndIf
  If Wurf1 < Wurf2 Then
    MeinWert = MeinWert + 1
  EndIf
  TextWindow.WriteLine(DeinWert + " zu " + MeinWert)
  Program.Delay(1000)  'Eine Sekunde warten
  TextWindow.WriteLine("")
EndFor
If DeinWert > MeinWert Then
```

```
   TextWindow.WriteLine("Du hast gewonnen")
ElseIf DeinWert < MeinWert Then
   TextWindow.WriteLine("Ich habe gewonnen")
Else
   TextWindow.WriteLine("Unentschieden")
EndIf
```

➤ Ändere das Würfel-Programm entsprechend um und lass es dann laufen.

Ein Unterschied ist offenbar nicht festzustellen. Schälen wir mal die neue Kontrollstruktur heraus:

```
For Versuche = 1 To 6
  'Anweisungen für Würfelwerte
EndFor
```

Zu Deutsch heißt das:

FÜR eine Anzahl, die von einem Startwert bis zu einem Zielwert zählt, soll der Computer einen Anweisungsblock WIEDERHOLEN.

Und hier auch gleich das passende Struktogramm:

For Zähler = Start To Ziel

Anweisungs-Block

Als **Startwert** steht hier eine 1. Da fängt das Zählen an. Und der **Zielwert** ist in unserem Falle 6. Da hört das Zählen auf.

Im **Anweisungsblock** stehen eine ganze Reihe von Anweisungen. Es sind genau dieselben wie schon in der While-Schleife.

Das Ganze nennt man For-Struktur. Und weil hier gezählt wird, spricht man auch von **Zählschleife**. Start- und Zielwert sind beliebig. Erlaubt sind also auch negative Werte.

Auf dem Weg zum Millionär

Mit den Mitteln, die du bisher kennen gelernt hast, lässt sich schon ein Programm erstellen, um ein wenig Einblick in die eigene Finanzlage zu bekommen.

➤ Tippe den folgenden Programmtext ein (→ MILLION1.SB):

```
Kapital = Math.GetRandomNumber(10)*10000
TextWindow.WriteLine("Du hast im Lotto " + Kapital +
    " Euro gewonnen!")
TextWindow.Write("Das solltest du nicht gleich
    verprassen, ")
TextWindow.WriteLine("sondern lieber mit Zinsen
    anlegen!")
TextWindow.Write("Wie hoch soll der Zinssatz sein: ")
Prozent = TextWindow.Read()
Laufzeit = 0
While Kapital < 1000000
  Zinsen  = Kapital * Prozent / 100
  Kapital = Kapital + Zinsen
  Laufzeit = Laufzeit + 1
EndWhile
TextWindow.Write("Um Millionär zu werden, musst du
    das Geld ")
TextWindow.WriteLine(Laufzeit + " Jahre auf der Bank
    braten lassen.")
```

Was geht in diesem Programm eigentlich vor? Dass es etwas mit Mathematik zu tun hat, sieht man nicht nur an den Namen der Variablen: Zinsen, Kapital, Prozent.

Weil das Kapital ja ein (zufälliger) Gewinn sein soll, bemühen wir hier den Zufallsgenerator. Damit dieser Gewinn nicht zu niedrig ausfällt, fangen wir bei 10.000 Euro an:

```
Kapital = Math.GetRandomNumber(10)*10000
```

Wir setzen hier einen Gewinn zwischen 10.000 und 100.000 Euro an, denn wer gewinnt schon eine ganze Million? (Und außerdem wäre man damit ja schon Millionär.)

Wie viel Prozent dir deine Bank (oder irgendein Geldanlageberater) bietet, musst du selbst eingeben:

```
TextWindow.Write("Wie hoch soll der Zinssatz sein: ")
Prozent = TextWindow.Read()
```

Dann wird die Laufzeit erst mal auf null gesetzt, weil ja noch kein Jahr vergangen ist:

```
Laufzeit = 0
```

Und nun kommt ein bisschen Zinsrechnung. Falls du das noch nicht im Matheunterricht gehabt (oder wieder vergessen) hast, ist das nicht weiter schlimm. Dann tippst du eben einfach die folgenden Zuweisungen ab und glaubst mir, dass es stimmt. Was passiert in der While-Schleife?

Erst mal werden die Zinsen berechnet, die in einem Jahr anfallen:

```
Zinsen = Kapital * Prozent / 100
```

Dann werden sie zum Kapital dazugezählt:

```
Kapital = Kapital + Zinsen
```

Und weil das bei jeder Wiederholung ein Jahr mehr ist, wird die Laufzeit um 1 erhöht:

```
Laufzeit = Laufzeit + 1
```

Und so geht das weiter, solange keine Million erreicht ist:

```
Kapital < 1000000
```

➤ Probiere das Programm einige Male aus, um zu sehen, wie deine Chancen stehen, in den nächsten Jahrzehnten zum Millionär aufzusteigen – vorausgesetzt, du hast genügend Startkapital.

Solltest du mal für den Zinssatz (Prozent) eine Null eintippen, gibt es Probleme: Dein Programm hängt fest: Weil die Million niemals erreichbar wird, steckt es in einer **endlosen** Schleife. Du musst das Programmfenster schließen.

Wenn du willst, kannst du aber auch eine zusätzliche Schleife einbauen, die die Eingabe wiederholt, bis eine Zahl größer als Null für den Zinssatz eingegeben wurde.

Wie hoch ist dein Startkapital?

Vielleicht wäre es besser, sich in Geldangelegenheiten nicht nur auf sein Glück zu verlassen, sondern mit dem Kapital zu beginnen, das man wirklich auftreiben kann. Dazu ändern wir den Anfang des Million-Programms ein wenig ab, damit man das Startkapital auch selbst eingeben kann:

```
TextWindow.Write("Wie viel Geld willst du anlegen: ")
Kapital = TextWindow.Read()
```

Dann geht es wie gewohnt weiter:

```
TextWindow.Write("Wie hoch soll der Zinssatz sein: ")
Prozent = TextWindow.Read()
Laufzeit = 0
```

Und schon sind wir beim kompletten Programmtext für die neue Version des Million-Programms (→ MILLION2.SB):

```
TextWindow.Write("Wie viel Geld willst du anlegen: ")
Kapital = TextWindow.Read()
TextWindow.Write("Wie hoch soll der Zinssatz sein: ")
Prozent = TextWindow.Read()
Laufzeit = 0
While Kapital < 1000000
  Zinsen    = Kapital * Prozent / 100
  Kapital   = Kapital + Zinsen
  Laufzeit = Laufzeit + 1
EndWhile
If Laufzeit > 0 Then
  TextWindow.Write("Um Millionär zu werden, musst du das Geld ")
  TextWindow.WriteLine(Laufzeit + " Jahre auf der Bank
      braten lassen.")
Else
  TextWindow.WriteLine("Willkommen im Club der Millionäre!")
EndIf
```

≫ Ändere dein Programm entsprechend um.

Da ist ja noch ein bisschen mehr dazu gekommen. Was wäre, wenn du bereits mit einer Million (oder mehr) einsteigen würdest? Dann musst du ja nicht mehr sparen (Laufzeit = 0) und kriegst trotzdem auch etwas zu sehen.

≫ Probiere auch diese Version des Million-Programms mehrere Male aus, um deine Aufstiegschancen zum Millionär zu testen.

Wie du siehst, vergehen in einigen Fällen doch eine ganze Menge Jahre, so dass selbst du schon ein Greis bist, wenn du deine Million abheben willst.

Schleifenvielfalt

Vielleicht ist es interessanter, zu wissen, wie viel sich in einer ganz bestimmten Zeit ansammeln lässt? Dazu muss man aber auch die Laufzeit selbst bestimmen können. Damit haben wir schon drei Eingaben:

```
TextWindow.Write("Wie viel Geld willst du anlegen: ")
Kapital = TextWindow.Read()
TextWindow.Write("Wie hoch soll der Zinssatz sein: ")
Prozent = TextWindow.Read()
TextWindow.Write("Und wie lange willst du warten: ")
Laufzeit = TextWindow.Read()
```

Die Schleife zur Berechnung von Zinsen und Gesamtkapital müsste sich dann z.B. so ändern (→ MILLION3A.SB):

```
While Laufzeit > 0
  Zinsen   = Kapital * Prozent / 100
  Kapital  = Kapital + Zinsen
  Laufzeit = Laufzeit - 1
EndWhile
```

Vielleicht fällt dir auf, dass hier die Laufzeit heruntergezählt wird. So etwas kann man leicht übersehen. Würde bei der letzten Zuweisung statt des Minus ein Plus stehen, dann wäre die Bedingung Laufzeit > 0 immer erfüllt, das Programm steckt (wieder mal) in einer **Endlos**-Schleife.

Und diesmal kommt man nicht so schnell mit Klick auf das **X** rechts oben wieder raus. Sondern Small Basic reagiert verärgert:

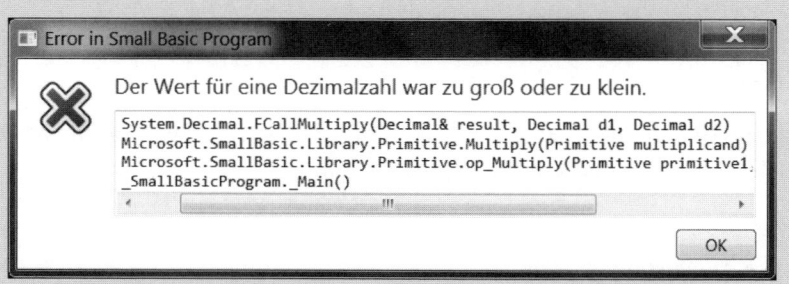

Die Dezimalzahl wächst hier nämlich mächtig an und wird irgendwann für Small Basic zu groß. Am besten, du klickst erst mal auf das OK.

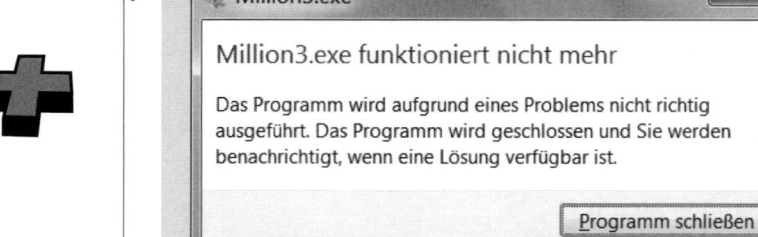

Im folgenden Meldefenster kannst du dann auf ABBRECHEN klicken oder warten, bis diese Meldung erscheint:

> **Million3.exe**
>
> **Million3.exe funktioniert nicht mehr**
>
> Das Programm wird aufgrund eines Problems nicht richtig ausgeführt. Das Programm wird geschlossen und Sie werden benachrichtigt, wenn eine Lösung verfügbar ist.
>
> Programm schließen

Klicke auf PROGRAMM SCHLIESSEN.

Ich bevorzuge hier ohnehin eine Schleife, die Small Basic ja auch noch bietet. Weil hier die Laufzeit bekannt ist und damit feststeht, wie oft das Ganze wiederholt werden muss, kann man den Computer auch einfach selbst zählen lassen. Das sähe dann so aus:

```
For Anzahl = 1 To Laufzeit
   Zinsen   = Kapital * Prozent / 100
   Kapital  = Kapital + Zinsen
EndFor
```

Gar nicht schlecht. Und sogar eher etwas schlanker als die While-Struktur. Und das Ganze geht natürlich auch rückwärts (→ MILLION3B.SB):

```
For Anzahl = Laufzeit To 1 Step -1
   Zinsen   = Kapital * Prozent / 100
   Kapital  = Kapital + Zinsen
EndFor
```

Das entspräche dem letzten Beispiel mit While. Dort wird ja Laufzeit auch jeweils um den Wert 1 **zurück**gezählt.

Die Anweisung
```
For Anzahl = 1 To Laufzeit
```
heißt eigentlich ausführlich:
```
For Anzahl = 1 To Laufzeit Step 1
```
Mit Step kannst du also die Schrittweite bei einer Zählschleife festlegen. Normalerweise erfolgt die Zählung in **Einer-Schritten vorwärts**. Deshalb kann hier auch der Step-Zusatz weggelassen werden.

Aber man zählt ja nicht immer in Einer-Schritten und nicht immer nur vorwärts, und dann braucht man diesen Zusatz. Willst du z.B. nur gerade Zahlen benutzen, könntest du schreiben:

```
For Zahl = 0 To 100 Step 2
```

Mit einer negativen Zahl hinter Step zählst du **rückwärts**. Achte dabei darauf, dass der Startwert größer als der Zielwert ist!

Du kannst aber auch Dezimalzahlen (nicht nur) als Schritte benutzen, z.B.

```
For Zahl = 1.5 To 11.5 Step 0.5
```

Nun willst du aber wissen, wie unser dritter Anlauf in Sachen Millionär aussieht. Hier ist der Quelltext (→ MILLION3.SB):

```
TextWindow.Write("Wie viel Geld willst du anlegen: ")
Kapital = TextWindow.Read()
TextWindow.Write("Wie hoch soll der Zinssatz sein: ")
Prozent = TextWindow.Read()
TextWindow.Write("Und wie lange willst du warten : ")
Laufzeit = TextWindow.Read()
For Anzahl = 1 To Laufzeit
  Zinsen   = Kapital * Prozent / 100
  Kapital  = Kapital + Zinsen
EndFor
TextWindow.WriteLine("Dann hast du " + Kapital + " Euro")
If Kapital < 1000000 Then
  TextWindow.WriteLine("Damit bist du aber noch kein Millionär!")
Else
  TextWindow.WriteLine("Willkommen im Club der Millionäre!")
EndIf
```

Macht Lotto reich?

Zu Geld kommen kann man natürlich auch durch richtige Glücksspiele. Wenn man wirklich gewinnt, dann ist es einem egal, dass die Wahrscheinlichkeit, zu verlieren eigentlich viel höher war. Nehmen wir als Beispiel das allseits bekannte Lotto, bei dem aus 49 Zahlen (oder Kugeln) 6 per Zufall ausgewählt werden. Hier unser Beitrag zur Lottoziehung:

```
For Nr = 1 To 6
  Zufall = Math.GetRandomNumber(49)
  TextWindow.WriteLine("Nr. " + Nr + " => " + Zufall)
EndFor
```

Ist das alles? Ja und Nein. Denn wenn du Pech hast, sind nicht nur die Zahlen, die der PC dir serviert, bei der nächsten Ziehung die falschen, sondern es kann auch vorkommen, dass Zahlen doppelt erzeugt werden:

Das verhindern wir jetzt durch den Einsatz einer Doppelschleife (→ LOTTO1.SB):

```
For Nr = 1 To 6
  Zufall = Math.GetRandomNumber(49)
  While Kugel[Zufall-1] = 1
    Zufall = Math.GetRandomNumber(49)
  EndWhile
  Kugel[Zufall-1] = 1
  TextWindow.WriteLine("Nr. " + Nr + " => " + Zufall)
EndFor
```

Hier wird jede Ziehung gesammelt und einzeln mit den nächsten Versuchen verglichen, ob die betreffende Zufallszahl schon vergeben ist. Das bedeutet, der Kugel-Wert ist 1. Ansonsten wird so lange eine Zahl zwischen 1 und 49 geraten, bis es eine neue ist. So werden Dopplungen vermieden. (Auf die Bedeutung der eckigen Klammern kommen wir später.)

```
C:\Users\Boss\Documents\Small Basic\Quell\Lotto2.exe
Nr. 1 => 41
Nr. 2 => 2
Nr. 3 => 1
Nr. 4 => 39
Nr. 5 => 21
Nr. 6 => 15
Press any key to continue...
```

Textbearbeitung

Nun haben wir uns vorwiegend mit Zahlenmaterial beschäftigt, allerdings war auch einiges an Text nötig. Den haben wir einfach so als Zeichenketten eingesetzt, Small Basic bietet aber eine Klasse, mit der man einem Text zu Leibe rücken kann.

Und so möchte ich zum Schluss hier noch etwas unterbringen, das mit Geld eigentlich überhaupt nichts zu tun hat. Doch ich habe zwei Sätze gefunden, die mir die Überleitung erleichtern sollen: »In Nagold legen Hähne Geld, log Anni« und »Regine, wette weniger«. Beides sind so genannte Palindrome, wenn man sie umdreht, sind es wieder die gleichen Sätze. Wir werden das gleich in einem passenden Programm überprüfen (→ TEXT1.SB):

```
TextWindow.Write("Schreib was: ")
Text1 = TextWindow.Read()
'Text umkehren
For i = Text.GetLength(Text1) To 1 Step -1
  Text2 = Text2 + Text.GetSubText(Text1, i,1)
EndFor
TextWindow.WriteLine(Text2)
```

Zuerst wirst du aufgefordert, etwas zu schreiben, dann hast du über Read die Möglichkeit einer Eingabe. Versuch es gleich mal mit einem der beiden Sätze da oben – wenn du willst, auch einmal ohne Leerzeichen.

Der Text lässt sich nun mit Hilfe von Methoden der Text-Klasse auswerten und bearbeiten. GetLength liefert die Textlänge (einschließlich aller Satzzeichen), mit GetSubText kann man Teile eines Textes herausfi-

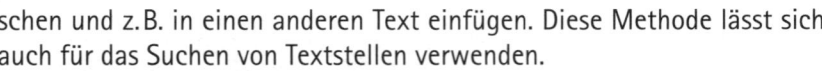

schen und z. B. in einen anderen Text einfügen. Diese Methode lässt sich auch für das Suchen von Textstellen verwenden.

> Während Small Basic das Umwandeln von Zahlen in Text und umgekehrt (was natürlich nur bei Ziffern funktioniert) automatisch beherrscht, kann man hin und wieder schon die Hilfe der Text-Klasse gebrauchen, z. B. zum Umwandeln von Texten in Groß- oder Kleinbuchstaben (ConvertToUpperCase, ConvertToLowerCase) oder zum Auffinden der Position eines Teiltextes (GetIndexOf).
>
> Und statt des Pluszeichens kann man auch die Methode Append verwenden, um zwei Texte zu verketten.

Was macht das Programm da oben eigentlich? Es dreht den kompletten Text Zeichen für Zeichen um. Wenn man dann genau dasselbe Wort oder denselben Text erhält wie vorher, dann hat man ein Palindrom. Wobei man bei den Sätzen großzügig mit den Leerzeichen umgehen muss. (Die gehören nämlich nach der Umkehrung meist woanders hin.)

Zusammenfassung

Mal sehen, was hängen geblieben ist. Hier ging es um eine weitere Kontrollstruktur, die wir in zwei kleinen Spielprogrammen eingesetzt haben. Dabei hat auch wie schon im letzten Kapitel der Zufall ein bisschen mitgespielt. Außerdem ging es teilweise um viel Geld, um etwas Glück und um eine neue Klasse. Insgesamt haben sich diese neuen Elemente aus dem Wortschatz von Small Basic hier angesammelt:

For	FÜR eine bestimmte Anzahl von Schritten wiederhole etwas (Anweisungsblock)
To	Zählbereich festlegen
EndFor	Kontrollstruktur abschließen
Step	Schrittweite für Zählschleifen (Negative Zahlen für Rückwärts)
Program	Klasse mit Hilfsfunktionen für den Programmverlauf
Delay	den Programmlauf eine Zeit lang anhalten
Text	Klasse zur Bearbeitung von Text(teilen)
GetLength	Länge eines Textes ermitteln

GetSubText	ein bestimmtes Zeichen oder Wort aus einem Text übernehmen
GetIndexOf	die Textstelle finden, an der ein Zeichen oder ein Wort steht
Append	Textteile verketten

Ein paar Fragen ...

1. Wie bringe ich den Computer dazu, auch mal eine Pause zu machen?

2. Was passiert im Million-Programm bei einer Eingabe von 0 für Kapital oder Zinssatz?

3. Leerzeichen, Leerzeile, Leerkette: Was ist der Unterschied?

... und eine Reihe Aufgaben

1. In allen Versionen des Mathe-Programms aus dem letzten Kapitel steckt ein möglicher schwerer Fehler: Denn für Zahl2 darf keine 0 eingegeben werden, wenn als Operator das Zeichen »/« (für Division) gewählt wird. Durch 0 darf man ja bekanntlich nicht teilen. Korrigiere das letzte Mathe-Programm (Mathe4) entsprechend.

2. Wenn man beim Zensur-Programm gleich zu Anfang gar keine falschen Punktwerte zulässt, müssen auch nur passende Punkte (zwischen 0 und 100) ausgewertet werden. Wie lassen sich Falscheingaben mit einer Schleife verhindern? Ändere das Zensur-Programm entsprechend um.

3. Schreibe ein Programm, in dem zufällig zwei Zahlen erzeugt werden. Ein weiterer Zufallswert entscheidet, ob die beiden Zahlen addiert, subtrahiert, multipliziert oder dividiert werden sollen. Der Computer gibt eine Rechenaufgabe aus, dann kannst du ein Ergebnis eingeben. Am Schluss überprüft der Computer, ob deine Eingabe richtig ist.

4. Ändere das Ratespiel mit Zahlen so um, dass du dir eine Zahl ausdenkst und der Computer raten muss. Indem du jeweils »zu klein« oder »zu groß« eintippst, steuerst du das Rateverhalten deines PC.

5. Und noch eine Variante des Zahlenratens: Der Computer spielt gegen sich selbst, indem er eine Zahl rät und sie mit seinem Zufallswert vergleicht. (Dabei sollte er »mit System« spielen, also nicht wahllos und zufällig raten!)

5
Grafik mit Draw und Fill

Bei unzähligen Spielen mit toller Grafik, faszinierenden Farben und irren Soundeffekten – da kennen sich viele Kids besser aus als die meisten Erwachsenen. Allerdings muss so was erst mal programmiert werden. Für ein professionelles Computerspiel reicht normalerweise nicht einer, der alles macht, sondern da sitzt ein ganzes Team von Leuten Monate oder sogar Jahre daran. Grundsätzlich ist das Programmieren von Spielen natürlich auch in Small Basic möglich – mit gewissen Einschränkungen. Wir wagen es, gehen das Thema aber gemächlich an.

In diesem Kapitel lernst du

◎ den Unterschied zwischen Textmodus und Grafikmodus kennen

◎ wie man Linien, Rechtecke und Kreise zeichnet

◎ wie man Zeichen- und Malfarben einsetzt

◎ etwas über die Textanzeige im Grafikmodus

Kapitel

5

Text oder Grafik

Alles, was du in den letzten Kapiteln programmiert hast, befasste sich irgendwie nur mit Zahlen und Zeichen. Die wurden dann auf dem Bildschirm angezeigt. Bei dieser Ausgabe ist für den Computer alles einfach eine Art Text, denn er stellt ja irgendwelche Zeichen dar (und auch Ziffern sind Zeichen). Darum spricht man bei dieser Darstellungsart vom **Textmodus**.

Hier wird das Bildschirmfenster in lauter kleine Rechtecke unterteilt, die natürlich nicht sichtbar sind. In jedem Rechteck ist dann Platz für genau ein Zeichen. Diesen Modus haben wir bis jetzt benutzt, dazu dient die Klasse `TextWindow`.

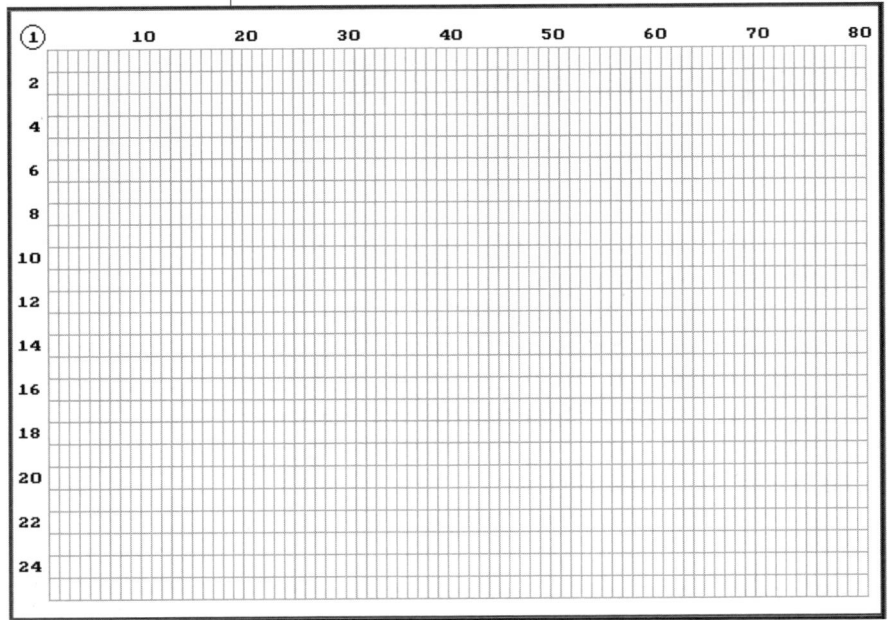

Unter Windows ist der Textmodus heute nicht mehr üblich, hier wird alles gezeichnet, sogar die Buchstaben, Zahlen und andere Zeichen. Das heißt, der Bildschirm ist nun nicht mehr in kleine (unsichtbare) Blöcke aufgeteilt, sondern in einzelne Bildpunkte. Diese Darstellungsart heißt **Grafikmodus**. Auch dafür gibt es in Small Basic eine Klasse, die `GraphicsWindow` heißt.

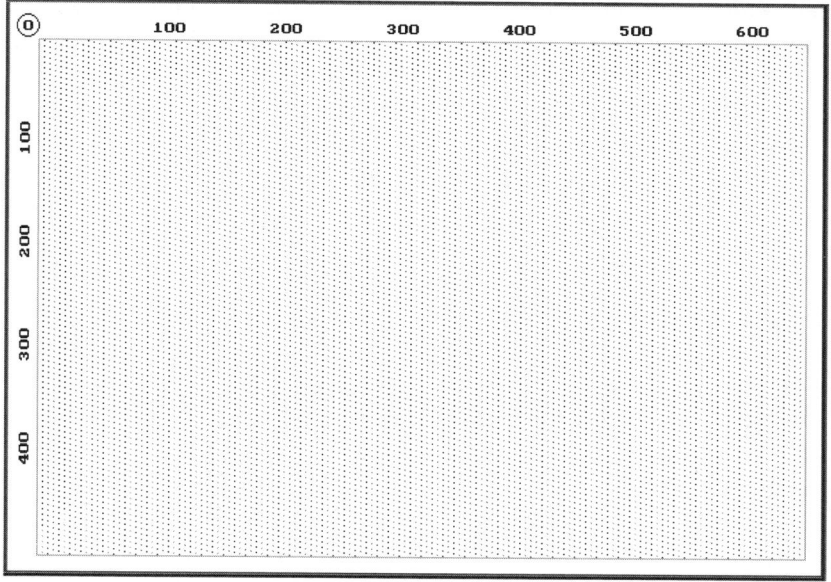

Damit man etwas von einer Grafik zu sehen bekommt, steckt in jedem Computer eine so genannte Grafikkarte. Dort befindet sich ein komplettes System für die Darstellung von Grafik mit bis zu mehreren Millionen Farben.

Die Bildpunkte werden **Pixel** genannt. Die Anzahl der Bildpunkte nennt man **Auflösung**. Hier eine Tabelle mit einer Auswahl an üblichen Auflösungen:

Breite × Höhe	Anzahl der Farben
640 × 480	256 bis 16 Millionen
800 × 600	256 bis 16 Millionen
1024 × 768	256 bis 16 Millionen
1280 × 960	256 bis 16 Millionen
1280 × 1024	256 bis 16 Millionen
1440 × 900	256 bis 16 Millionen
1680 × 1050	256 bis 16 Millionen

Welche Auflösung du auf deinem Bildschirm (auch Monitor oder Display genannt) zu sehen bekommst, hängt nicht nur von der Grafikkarte ab. Der Bildschirm muss natürlich auch groß genug sein, um eine hohe Auflösung darzustellen.

5

Beim Programmieren in Small Basic haben wir eine recht große Auswahl. Hier zum Aufwärmen gleich das erste Grafik-Programm (→ GRAFIK1.SB):

```
GraphicsWindow.Width  = 640
GraphicsWindow.Height = 480
GraphicsWindow.DrawLine(20,20, 620,460)
GraphicsWindow.DrawRectangle(20,20, 600,440)
GraphicsWindow.DrawEllipse(20,20, 600,440)
```

≫ Tippe den Programmtext ein. Dann starte das Programm.

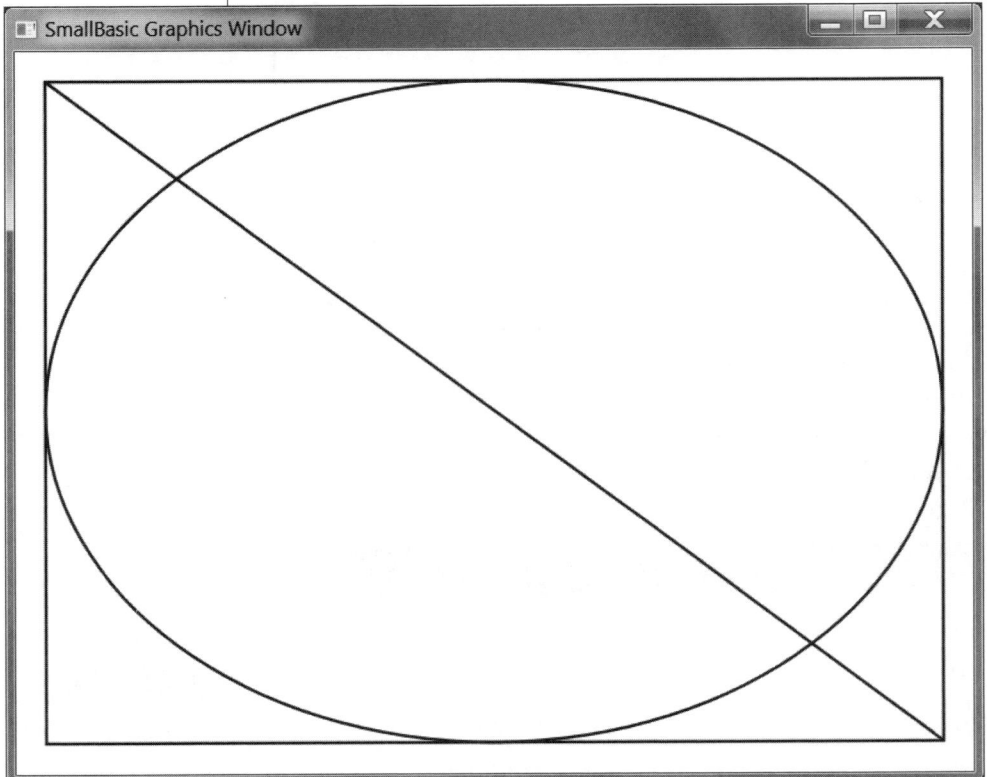

Was hast du erwartet? Ein Flugobjekt, das über den Bildschirm rauscht und dabei mit Raketen um sich ballert? Zu sehen ist genau das, was wir dem Computer in unserem ersten Grafik-Programm befohlen haben: eine Linie (DrawLine), ein Rechteck (DrawRectangle) und eine Ellipse (DrawEllipse) zu zeichnen. Diese drei Anweisungen nehmen wir uns gleich mal genauer vor.

Linie, Rechteck und Kreis

Die Klasse GraphicsWindow sorgt dafür, dass in den Grafikmodus umgeschaltet wird. **Breite** und **Höhe** der Anzeigefläche setzen wir mit diesen Zuweisungen:

GraphicsWindow.Width = 640

GraphicsWindow.Height = 480

Dies ist immer das erste Zeilenpaar, mit dem wir hier ein Grafik-Programm einleiten. Beenden lässt es sich nicht wie beim Textfenster per Tastendruck, sondern so, wie man jedes Fenster in Windows schließt – mit Klick auf das X oben rechts.

Mit DrawLine wird eine Linie gezeichnet, genauer: eine Strecke. Was bedeuten die vier Werte dahinter?

Um eine Strecke zu zeichnen, braucht man zwei Punkte.

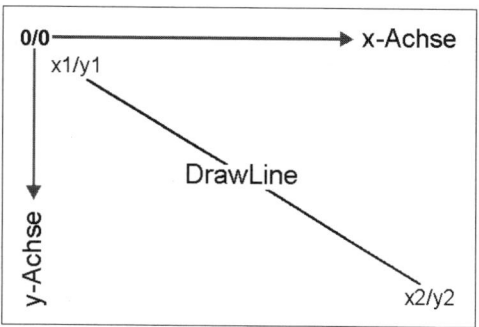

Allgemein könnte diese Anweisung etwa lauten:

Zeichne eine **Linie** von einem Anfangspunkt zu einem Endpunkt

In Small Basic wird das dann so ausgedrückt:

DrawLine(x1,y1, x2,y2)

Dabei gilt:

Anfangspunkt	x1	y1
Endpunkt	x2	y2

Jeder Punkt auf dem Bildschirm bzw. im Anzeigefenster benötigt einen x-Wert und einen y-Wert – so wie in einem **Koordinatensystem**, das du aus dem Matheunterricht kennst.

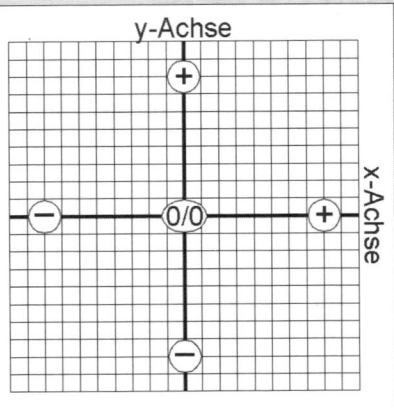

Dort allerdings liegt der Mittelpunkt (genannt **Ursprung**) auch wirklich in der Mitte. Auf dem Bildschirm bzw. in einem Grafikfenster jedoch wird nur von dem Teil des Koordinatensystems Gebrauch gemacht, der **nicht negativ** ist. Daher wandert der Ursprung in eine Ecke.

Nun haben sich aber die PC-Profis anders als die Mathe-Profis dazu entschlossen, dass hier die y-Achse nicht nach oben, sondern nach **unten** verlaufen soll. Damit sitzt der Ursprung in der **oberen linken** Ecke.

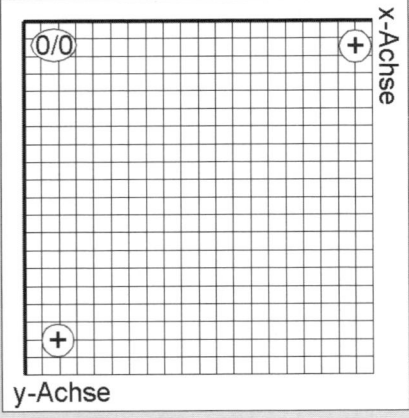

Auch für die Grafik in Small Basic gilt also:

Der obere linke Anfangspunkt hat die Werte x=0 und y=0.

Die x-Werte wachsen von links nach rechts.

Die y-Werte wachsen von oben nach unten.

Während die Zählung für die x- und die y-Werte im Grafikmodus bei null beginnt, fängt man im Textmodus bei eins an.

Mit der nächsten Anweisung `DrawRectangle` wird ein Rechteck gezeichnet. Hier ist nur ein Punkt nötig (die Ecke oben links), außerdem werden Breite und Höhe übernommen.

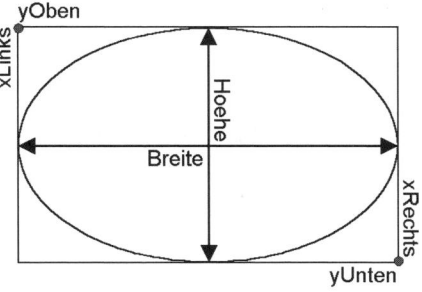

Das lässt sich allgemein etwa so ausdrücken:

Zeichne ein **Rechteck** von der Ecke oben links zur Ecke unten rechts mit der gegebenen Breite und Höhe

In Small Basic heißt es dann:

```
DrawRectangle(x,y, Breite,Hoehe)
```

Dabei gilt:

Ecke oben links	x	y
Ecke unten rechts	x+Breite	y+Hoehe

Die letzte Anweisung in unserem ersten Grafik-Programm heißt `Draw-Ellipse`. Damit zeichnet man einen Kreis oder eine Ellipse. Die Parameter sind die gleichen wie beim Rechteck.

Die `DrawEllipse`-Anweisung könnte allgemein etwa so formuliert werden:

Zeichne eine **Ellipse**, die genau in ein gedachtes Rechteck passt

In Small Basic lautet diese Anweisung dann:

```
DrawEllipse(x,y, Breite,Hoehe)
```

Dabei gilt:

Ecke oben links	x	y
Ecke unten rechts	x+Breite	y+Hoehe

Zuerst entsteht ein unsichtbares Rechteck vom linken oberen Eckpunkt aus. Der rechte untere Eckpunkt wird mit Hilfe der Breite und Höhe errechnet. Erst dann wird dieser Rahmen mit einer Ellipse ausgefüllt.

Jetzt wird's bunt

Für jede der drei Grafikanweisungen, die du bis jetzt kennen gelernt hast, folgt nun ein neues kleines Beispielprogramm, das du natürlich nach Belieben ändern kannst.

Beginnen wir jetzt mit den Linien.

≫ Ändere den alten Programmtext oder öffne ein neues Editorfenster und tippe das Folgende neu ein (→ GRAFIK2.SB):

```
GraphicsWindow.Width  = 640
GraphicsWindow.Height = 480
For i = 0 To 40
  Farbe = GraphicsWindow.GetRandomColor()
  GraphicsWindow.PenColor = Farbe
  GraphicsWindow.DrawLine(0,i*12, 640,480-i*12)
  GraphicsWindow.DrawLine(i*16,0, 640-i*16,480)
EndFor
```

≫ Lass das Programm z.B. über F5 gleich mehrmals laufen.

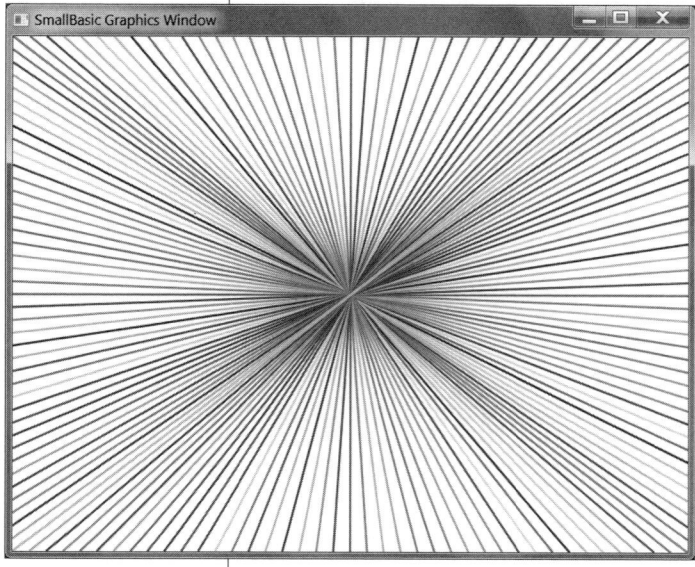

Damit es richtig schön bunt wird, habe ich hier mal wieder den Zufall zur Hilfe genommen. Mit

```
Farbe = GraphicsWindow.GetRandomColor()
```

starten wir den Zufallsgenerator und erzeugen eine zufällige Farbe. Und mit

```
GraphicsWindow.PenColor = Farbe
```

setzen wir die dann als **Zeichenfarbe** fest..

Das könnte man natürlich auch in einer Zeile zusammenfassen, indem man den Wert direkt zuweist:
```
GraphicsWindow.PenColor = GraphicsWindow.GetRandom-
Color()
```
Auch die direkte Zuweisung eines Farbnamens ist möglich, z.B.
```
GraphicsWindow.PenColor = "Red"
```
oder
```
GraphicsWindow.PenColor = "Blue"
```

Bevor der Computer Linien zeichnet, sucht er sich bei jedem Durchlauf der Zählschleife eine neue Zeichenfarbe aus. Die Strahlenvielfalt entsteht dadurch, dass dein PC in einer For-Schleife von 0 bis 40 zählt und dabei diese zwei Grafikanweisungen ausführt:

```
GraphicsWindow.DrawLine(0,i*12, 640,480-i*12)
GraphicsWindow.DrawLine(i*16,0, 640-i*16,480)
```

Die Variable i nimmt nacheinander die Werte von 0 bis 40 an und verändert damit auch die Anfangs- und Endpunkte der Linien. Die Formeln hinter den DrawLine-Anweisungen sorgen dafür, dass dabei ein Bündel von bunten Strahlen entsteht.

≫ Ändere ruhig mal ein paar Werte oder Formeln und schau zu, was mit den Linien passiert! Es kann auch nicht schaden, die For-Schleife mal ganz anders zählen zu lassen (z.B.: von 15 bis 25).

Bei Zählschleifen benutzt man häufig nur einen kurzen Namen für die Zählvariablen. Am beliebtesten sind Einzelbuchstaben wie »i«. Das steht als Abkürzung für den Begriff **Index**. Gemeint ist damit eine Messzahl z.B. für eine Nummerierung. Man könnte aber auch z.B. den Namen Nr oder einen beliebigen anderen Buchstaben für die For-Schleife verwenden.

5

Eckig oder rund?

Ebenso farbig geht es bei den Rechtecken und Kreisen zu. Auch hier lässt sich mit der Anweisung PenColor die Zeichenfarbe einstellen.

≫ Tippe den folgenden Programmtext ein bzw. ändere das alte Grafik-Programm (→ GRAFIK3.SB):

```
GraphicsWindow.Width  = 640
GraphicsWindow.Height = 480
For i = 0 To 50
  Farbe = GraphicsWindow.GetRandomColor()
  GraphicsWindow.PenColor = Farbe
  GraphicsWindow.DrawRectangle(i*6,i*4, 640-i*12,480-i*8)
EndFor
```

≫ Lass auch dieses Programm mehrere Male laufen.

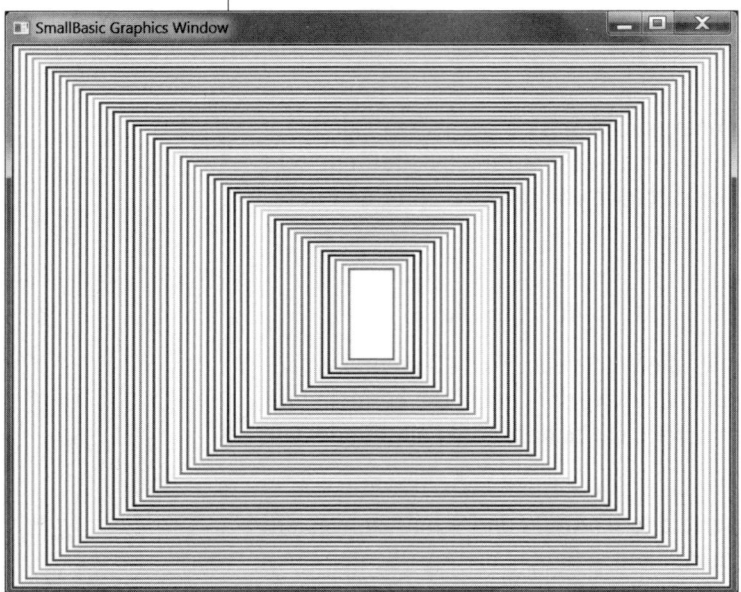

Hier genügt in der For-Schleife nur eine Grafikanweisung, um die ineinander verschachtelten Rechtecke zu zeichnen:

```
DrawRectangle(i*6,i*4, 640-i*12,480-i*8)
```

Und wieder steuert die Variable i nacheinander die Werte von 1 bis 50 an und verändert damit auch die Ecken der Rechtecke. Auch hier verzichte ich darauf, dir die Formeln bei den DrawRectangle-Anweisungen zu erklären.

Eckig oder rund?

≫ Probiere einfach aus, was geschieht, wenn du einige Werte änderst. Benutze auch mal andere Zahlen bei der For-Schleife.

> Es kann vorkommen, dass die Werte für Small Basic nicht mehr »erträglich« sind. Dann stürzt dein Programm einfach ab bzw. bleibt hängen. Mit einem Klick auf ABBRUCH oder PROGRAMM SCHLIESSEN (je nach Meldefenster) beendest du dein Testprogramm.

Wenn du dich an den Rechtecken sattgesehen hast, können wir zu den Ellipsen übergehen:

≫ Tippe den folgenden Programmtext ein bzw. ändere das alte Grafik-Programm (→ GRAFIK4.SB):

```
GraphicsWindow.Width  = 640
GraphicsWindow.Height = 480
For i = 0 To 50
  Farbe = GraphicsWindow.GetRandomColor()
  GraphicsWindow.PenColor = Farbe
  GraphicsWindow.DrawEllipse(i*6,i*4, 640-i*12,480-i*8)
EndFor
```

≫ Und nun lass auch das Programm einige Male laufen.

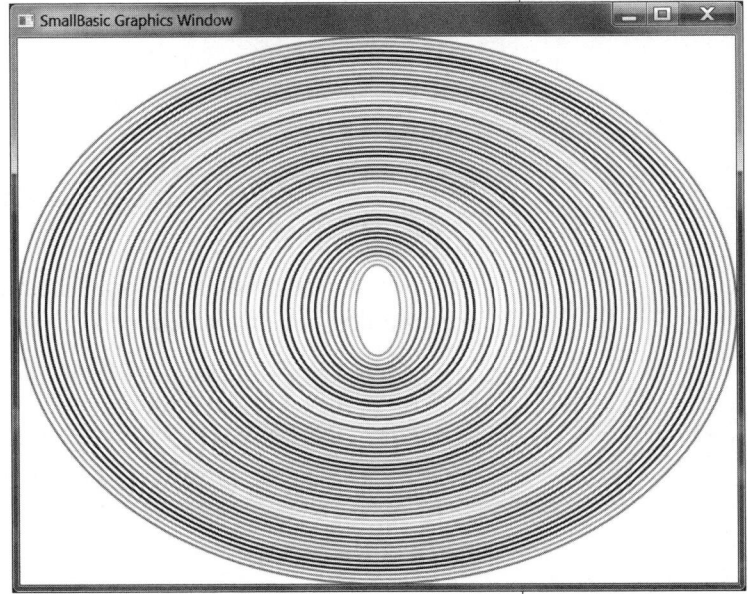

Und wieder sorgt die For-Schleife dafür, dass sich jede Menge Kreise über den Bildschirm ausbreiten:

```
DrawEllipse(i*6,i*4, 640-i*12,480-i*8)
```

≫ Probiere wieder aus, was passiert, wenn du einige Werte änderst. Benutze auch mal andere Zahlen bei der For-Schleife.

Bunte Mischung

Darf es noch ein bisschen mehr Farbe sein? In Small Basic kann man natürlich nicht nur farbig zeichnen, sondern Flächen auch bunt ausmalen. Dazu benötigen wir außer der Zeichenfarbe über PenColor noch eine zufällige Malfarbe über BrushColor.

Probieren wir das gleich in einem neuen Grafik-Programm aus (→ GRAFIK5.SB):

```
GraphicsWindow.Width  = 640
GraphicsWindow.Height = 480
For i = 0 To 250
  Farbe = GraphicsWindow.GetRandomColor()
  GraphicsWindow.PenColor = Farbe
  GraphicsWindow.BrushColor = Farbe
  x = Math.GetRandomNumber(580)+20
  y = Math.GetRandomNumber(420)+20
  z = Math.GetRandomNumber(25)+5
  GraphicsWindow.FillEllipse(x,y z,z)
EndFor
```

≫ Tippe den Programmtext erst mal ein. Dann lass das Programm ein paar Mal laufen.

Damit die Kreise schön zufällig auf dem Bildschirm herumkullern, brauchen wir drei neue Variablen:

```
x = Math.GetRandomNumber(580)+20 'Position links
y = Math.GetRandomNumber(420)+20 'Position oben
z = Math.GetRandomNumber(25)+5   'Durchmesser
```

In der For-Schleife werden jeweils alle Werte neu gesetzt und damit dann ein Kreis gezeichnet (weshalb die beiden letzten Parameter stets gleich sein müssen):

```
GraphicsWindow.FillEllipse(x,y z,z)
```

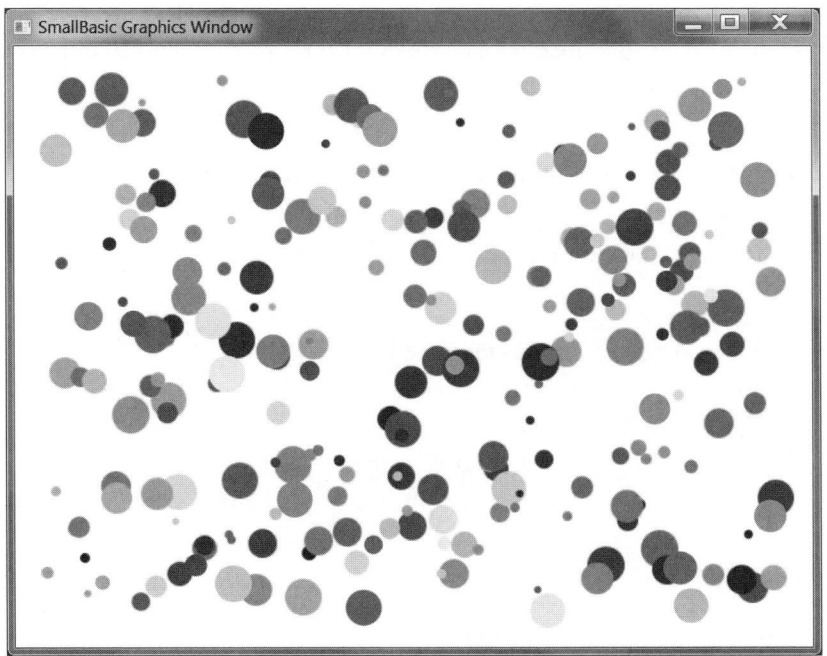

Natürlich lässt sich auch die Farbe für den Hintergrund ändern.

≫ Ändere dazu den Quelltext so um (→ GRAFIK6.SB). Dann probiere auch dieses Programm ein paar Mal aus.

```
GraphicsWindow.Width  = 640
GraphicsWindow.Height = 480
Farbe = GraphicsWindow.GetRandomColor()
GraphicsWindow.BackgroundColor = Farbe
For i = 0 To 250
  Form = Math.GetRandomNumber(2)
  Farbe = GraphicsWindow.GetRandomColor()
  GraphicsWindow.PenColor = Farbe
  GraphicsWindow.BrushColor = Farbe
  x = Math.GetRandomNumber(580)+20  'Position links
  y = Math.GetRandomNumber(420)+20  'Position oben
  z = Math.GetRandomNumber(25)+5    'Durchmesser
  If Form = 1 Then
    GraphicsWindow.FillEllipse(x,y z,z)
  Else
    GraphicsWindow.FillRectangle(x,y z,z)
  EndIf
EndFor
```

Na ja, da habe ich mal wieder einiges dazu geschmuggelt: Der Wert der Variablen Form soll entscheiden, ob sich Kreise oder Quadrate auf dem Bildschirm tummeln. Dafür sind die neuen Anweisungen FillEllipse und FillRectangle zuständig.

Für den farbigen Hintergrund sorgen diese beiden Zeilen:

```
Farbe = GraphicsWindow.GetRandomColor()
GraphicsWindow.BackgroundColor = Farbe
```

Auch hier ginge es mit nur einer Zeile:
```
GraphicsWindow.BackgroundColor = GraphicsWindow.
   GetRandomColor()
```
Und auch hier kann ein Farbname vergeben werden, z.B.
```
GraphicsWindow.BackgroundColor = "Black"
```

Text geht auch

Zeichen lassen sich natürlich ebenfalls im Grafikmodus ausgeben. Klar, sagst du, dazu gibt es ja Write und WriteLine. Doch halt: Sind das nicht Methoden von TextWindow? Wir befinden uns aber hier in einem **Grafikfenster**. Doch auch da findet sich eine passende Methode.

Schauen wir uns das entsprechende Programm für bunte »Hallos« einmal an (→ GRAFIK7.SB):

```
GraphicsWindow.Width  = 640
GraphicsWindow.Height = 480
For i = 0 To 150
  Farbe = GraphicsWindow.GetRandomColor()
  GraphicsWindow.BrushColor = Farbe
  x = Math.GetRandomNumber(520)+20   'Position links
  y = Math.GetRandomNumber(420)+20   'Position oben
  z = Math.GetRandomNumber(20)+15    'Schriftgröße
  GraphicsWindow.FontSize = z
  GraphicsWindow.DrawText(x,y, "Hallo")
EndFor
```

Die Anweisung DrawText zeichnet den Text:

```
DrawText(x,y, Text)
```

x und y geben an, wo die Textanzeige beginnen soll. Die Textfarbe ist die Malfarbe, deshalb wird hier BrushColor eingesetzt. Und damit der Text nicht immerzu die gleiche Schriftgröße hat, wählen wir mit FontSize eine zufällige aus:

```
z = Math.GetRandomNumber(20)+15
GraphicsWindow.FontSize = z
```

Zusammenfassung

Mit der bunten Textanzeige des letzten Beispiels endet dieses Kapitel, und du kennst einige Möglichkeiten, eckige und runde Elemente zu zeichnen und auszumalen. Damit ist das Thema Grafik noch längst nicht abgeschlossen. Jetzt aber wird erst mal wieder zusammengefasst, was du alles an neuen Wörtern kennen gelernt hast. Und das sind diesmal wirklich nicht wenige:

GraphicsWindow	ein Grafikfenster, eine Klasse für die Darstellung von Grafik und Text
Width	Fensterbreite bestimmen
Height	Fensterhöhe bestimmen
DrawLine	Linie (Strecke) zeichnen
DrawRectangle	Rechteck/Quadrat zeichnen
DrawEllipse	Ellipse/Kreis zeichnen
FillRectangle	Rechteck/Quadrat zeichnen/ausmalen
FillEllipse	Ellipse/Kreis zeichnen/ausmalen
GetRandomColor	zufällige Farbe erzeugen
PenColor	Zeichenfarbe setzen
BrushColor	Malfarbe setzen
BackgroundColor	Hintergrundfarbe setzen
DrawText	Text an einer bestimmten Stelle ausgeben
FontSize	Schriftgröße für Textausgabe bestimmen

Ein paar Fragen ...

1. Wie unterscheiden sich die Fenster für Text- und für Grafikanzeige?

2. Wo liegt der Ursprung des Koordinatensystems auf dem Bildschirm?

3. Die Methoden DrawLine, DrawRectangle und DrawEllipse verwenden jeweils vier Parameter. Was sind die Unterschiede?

... und zwei Aufgaben

1. Schreibe ein Grafik-Programm, das mit drei Linien ein Dreieck zeichnet. Oder findest du in Small Basic eine einfachere Lösung?

2. Mit Hilfe der Grafik-Anweisungen soll ein Haus mit einem Fenster und einer Tür gezeichnet und dann ausgemalt werden. Schreibe dazu ein Programm.

6

Pixel und Turtle

Weil wir im letzten Kapitel bei unserem Ausflug in den Grafik-Zoo noch lange nicht alle »Tiere« gesehen haben, setzen wir nun hier unseren Besuch fort. Und es geht weiter mit Zeichnen und Malen, wobei uns hier ein kleines Tierchen behilflich ist. Außerdem läuft uns ständig die Mathematik über den Weg.

In diesem Kapitel lernst du

◎ dass man Punkte auch einzeln zeichnen kann

◎ Arrays kennen

◎ etwas über Bogenmaß und Gradmaß

◎ was RGB bedeutet

◎ die Turtle-Grafik kennen

Punkte und Felder

Kommen wir gleich auf den Punkt, besser gesagt: auf viele, zahlreiche Punkte. Die Bildfläche soll zu einem kleinen Sternenhimmel werden, an dem Tausende von winzigen Pünktchen flimmern. Und damit machen wir

jetzt ganz klein weiter. Wir nutzen jetzt die Möglichkeit von Small Basic, einzelne Pixel eines Bildes zum Leuchten zu bringen. Das folgende Programm zeigt dir, was ich damit meine:

≫ Passe den Quelltext entsprechend an (→ GRAFIK9.SB). Und lass dir ruhig viel Zeit beim Ausprobieren:

```
GraphicsWindow.Width  = 640
GraphicsWindow.Height = 480
GraphicsWindow.BackgroundColor = "Black"
For i = 0 To 30000
  Farbe = GraphicsWindow.GetRandomColor()
  x = Math.GetRandomNumber(630) + 5
  y = Math.GetRandomNumber(470) + 5
  GraphicsWindow.SetPixel(x,y, Farbe)
  Program.Delay(1)
EndFor
```

Mit SetPixel wird ein einzelner farbiger Punkt gesetzt. (Farbangaben über PenColor oder BrushColor sind dazu nicht nötig.)

Und damit das Ganze besser zur Geltung kommt, lassen wir die For-Schleife gleich bis 30.000 hochzählen. Und damit es noch ein bisschen mehr dauert, bis der Himmel voller Sterne hängt, nutzen wir zusätzlich den Bremseffekt von Delay.

Tausende von bunten Punkten verteilen sich jetzt auf dem Bildschirm. Eigentlich ganz nett, aber geht das nicht auch rückwärts? Man könnte einfach in einer zweiten Schleife alles wieder mit schwarzen Punkten überdecken und unsichtbar machen, weil der Hintergrund ja auch schwarz ist. Aber per Zufall dann wieder alle Stellen richtig zu treffen, ist doch so gut wie unmöglich.

Man müsste sich die Stellen vorher merken, an denen die bunten Punkte gesetzt wurden. Und das geht tatsächlich: Man benötigt eben nur ein ganzes **Feld** von Variablen, um die jeweiligen x- und y-Werte dort unterzubringen. Small Basic bietet dazu eine unauffällig aussehende Möglichkeit an (→ GRAFIK10.SB):

```
GraphicsWindow.Width  = 640
GraphicsWindow.Height = 480
GraphicsWindow.BackgroundColor = "Black"
Max = 5000
For i = 0 To Max
```

```
  Farbe = GraphicsWindow.GetRandomColor()
  x[i] = Math.GetRandomNumber(630) + 5
  y[i] = Math.GetRandomNumber(470) + 5
  GraphicsWindow.Title = "Pixel setzen " + i
  GraphicsWindow.SetPixel(x[i],y[i], Farbe)
EndFor
For i = Max To 0 Step -1
  GraphicsWindow.Title = "Pixel löschen " + i
  GraphicsWindow.SetPixel(x[i],y[i], "Black")
  Program.Delay(2)
EndFor
GraphicsWindow.Clear()
```

Weil wir hier zwei For-Schleifen verwenden, habe ich Max als Maximalwert schon mal eine Zahl zugewiesen, die dann mehrmals verwendet werden kann. Willst du später etwas ändern, musst du das nur an einer Stelle tun. Und beide Schleifen zählen Max-mal. In der ersten Schleife werden zufällige Koordinaten für die Punkte erzeugt und in einem Feld von Variablen untergebracht:

```
x[i] = Math.GetRandomNumber(630) + 5
y[i] = Math.GetRandomNumber(470) + 5
```

Dann setzt der PC jeweils einen Punkt an diese Koordinaten:

```
GraphicsWindow.SetPixel(x[i],y[i], Farbe)
```

Zusätzlich sorgen wir dafür, dass oben im Fenstertitel ein Text steht, der darüber informiert, welches Pixel gerade gesetzt wird:

```
GraphicsWindow.Title = "Pixel setzen " + i
```

Ob du es glaubst oder nicht: Wir haben nun für x und für y jeweils 5000 Zahlen, die der PC im Arbeitsspeicher abgelegt hat. Ein ganzes **Variablenfeld**, englisch auch Array genannt. Man spricht hier auch auch von einer Datenstruktur. In anderen Programmiersprachen müssen Variablenfelder vereinbart werden, in alten Basic-Versionen z.B. so:

```
Dim x(5000), y(5000)
```

also mit runden statt eckigen Klammern. In Small Basic entsteht ein Feld, indem wir ständig einem neuen Element einen Wert zuweisen. Dadurch wächst es Stück um Stück. Angesprochen bzw. benutzt werden die einzelnen Variablen eines solchen Feldes über die **eckigen (!) Klammern:**

x[1]	x[2]	x[3]	x[4]	x[5]	x[6]	x[7]	x[8]	x[9]	x[10]

y[1]	y[2]	y[3]	y[4]	y[5]	y[6]	y[7]	y[8]	y[9]	y[10]

Mit x[1] ist das erste, mit x[10] das zehnte Element gemeint. Dasselbe gilt für y. wobei x und y die Namen des ganzen Feldes sind. Was in den Klammern steht, nennt man **Index**. Außer konstanten Werten sind dort auch Variablen möglich. Die Zählung muss nicht bei 1 beginnen.

In einer Zählschleife lässt sich jede Feldvariable erfassen. So z.B. werden alle Variablen eines Feldes x auf den Wert 1 gesetzt:

```
For i = 1 To Max
   x[i] = 1
EndFor
```

Nun kennt der PC alle Stellen, an denen er die bunten Punkte im zweiten Durchgang wieder zu löschen hat, genauer: sie mit schwarzer Farbe übermalen muss:

```
GraphicsWindow.SetPixel(x[i],y[i], "Black")
```

Das wird auch in der Titelzeile des Fensters angezeigt:

```
GraphicsWindow.Title = "Pixel löschen " + i
```

Die Rückwärtszählung in der For-Schleife ist nicht nötig, sieht aber besser aus: Erst wird bis 5000 raufgezählt, dann wieder runter. Weil der Merkprozess deutlich mühseliger ist, wird Delay beim Aufbau des »Sternenhimmels« nicht gebraucht und 5000 Pixel (statt 30.000) reichen völlig. Beim Erlöschen der »Sterne« ist das Delay dann wieder sinnvoll, damit das nicht zu schnell passiert. (Wenn du viel Geduld und einen sehr schnellen PC hast, kannst du auch einen weit höheren Wert für Max einsetzen.)

Am Schluss dient die Methode Clear zum restlosen Saubermachen der Anzeigefläche. (Bei mir klappte das Entfernen bzw. Überzeichnen nicht immer treffsicher, manchmal erst nach einem weiteren Durchlauf. Mit Clear wird alles klar gemacht.)

≫ Ändere den Programmtext entsprechend. Starte das Programm und warte.

Von Kreisen und Wellen

Ein bisschen mehr Glamour bringt die FillEllipse-Methode, die ja statt bloßer Pünktchen auch kleine Kreise zeichnen kann. Dazu schau dir diese Variante mal an (→ GRAFIK11.SB):

```
GraphicsWindow.Width  = 640
GraphicsWindow.Height = 480
GraphicsWindow.BackgroundColor = "Black"
Max = 2000
For i = 0 To Max
  Farbe = GraphicsWindow.GetRandomColor()
  x[i] = Math.GetRandomNumber(630) + 5
  y[i] = Math.GetRandomNumber(470) + 5
  GraphicsWindow.Title = "Sie kommen " + i
  GraphicsWindow.BrushColor = Farbe
  GraphicsWindow.FillEllipse(x[i],y[i], 5,5)
EndFor
For i = Max To 0 Step -1
  GraphicsWindow.Title = "Und gehen " + i
  GraphicsWindow.BrushColor = "Black"
  GraphicsWindow.FillEllipse(x[i],y[i], 5,5)
  Program.Delay(3)
EndFor
GraphicsWindow.Clear()
```

Wenn die Positionen nicht zufällig, sondern genau berechenbar sind, muss man sich die Koordinaten nicht merken. Falls du aus dem Matheunterricht die Winkelfunktionen Sinus und Kosinus kennst, könnte dich das nächste Programm interessieren. In Small Basic bietet die Math-Klasse dazu zwei passende Funktionen mit Sin und Cos an.

≫ Versuch's gleich mal mit diesem Programm (→ GRAFIK12.SB):

```
GraphicsWindow.Width  = 640
GraphicsWindow.Height = 480
GraphicsWindow.BackgroundColor = "Black"
GraphicsWindow.Title = "Sinus und Kosinus"
For x = 0 To 1000 Step 0.2
  Farbe = GraphicsWindow.GetRandomColor()
  Bogen = Math.GetRadians(x)
  y1 = Math.Sin(Bogen) * 200 + 240
```

```
    GraphicsWindow.SetPixel(x,y1, Farbe)
    y1 = Math.Cos(Bogen) * 200 + 240
    GraphicsWindow.SetPixel(x,y1, Farbe)
    Program.Delay(5)
    y2 = Math.Sin(Bogen-2* Math.Pi) * 200 + 240
    GraphicsWindow.SetPixel(x-360,y2, "Black")
    y2 = Math.Cos(Bogen-2* Math.Pi) * 200 + 240
    GraphicsWindow.SetPixel(x-360,y2, "Black")
  EndFor
  GraphicsWindow.Clear()
```

Hier bekommst du eine bunte Wellenlinie serviert, die nach und nach wieder verschwindet – ganz ohne die Hilfe von Arrays.

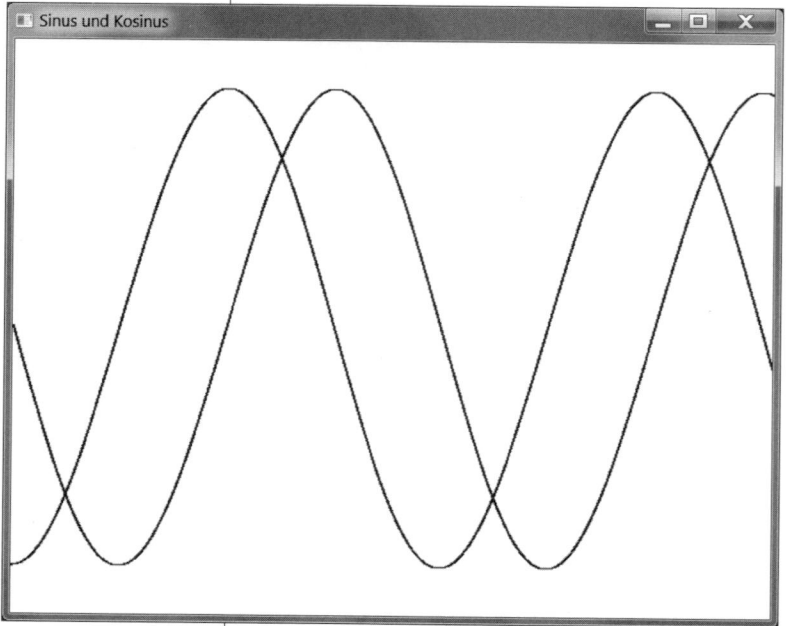

Während sich die x-Koordinate in kleinen Schritten nach rechts bewegt, wird der y-Wert als Ergebnis einer Sinus- oder Kosinus-Funktion erzeugt:

```
y1 = Math.Sin(Bogen) * 200 + 240
y1 = Math.Cos(Bogen) * 200 + 240
y2 = Math.Sin(Bogen-2* Math.Pi) * 200 + 240
y2 = Math.Cos(Bogen-2* Math.Pi) * 200 + 240
```

Die ersten beiden Zeilen sorgen für die sichtbaren Wellenlinien. Damit eine schwarze Kurve die zugehörige bunte nicht sofort löscht, startet sie in einem gewissen Abstand.

Von Kreisen und Wellen

Wenn du dieses Thema noch nicht im Matheunterricht hattest, dann bekommst du hier einen kleinen Vorgeschmack. Und weißt jetzt, dass Sinus und Kosinus etwas mit Wellen und Winkeln zu tun hat. Aber die Kreiszahl »Pi« () kennst du? Sie hat etwa den Wert 3,14 und entsteht, wenn man den Umfang eines Kreises durch seinen Durchmesser teilt.

Die Methode `GetRadians` ist eine Umwandlungsfunktion, die wir hier für Sinus und Kosinus brauchen.

Es gibt zwei Wege, einen Winkel zu messen. Allgemein bekannt ist das **Gradmaß**, so hat z.B. ein rechter Winkel 90° und ein Vollwinkel 360°. Auch wichtig ist das so genannte **Bogenmaß**, das Winkel in Pi-Werten misst. Ausgehend davon, dass der Umfang eines Kreises 2 * Pi * Radius beträgt, ist das Maß für einen Vollkreis 2 Pi, für den rechten Winkel Pi/2.

Mit Hilfe der `Math`-Funktionen `GetRadians` (Bogen) und `GetDegrees` (Grad) lassen sich Winkelwerte in beide Maße umwandeln.

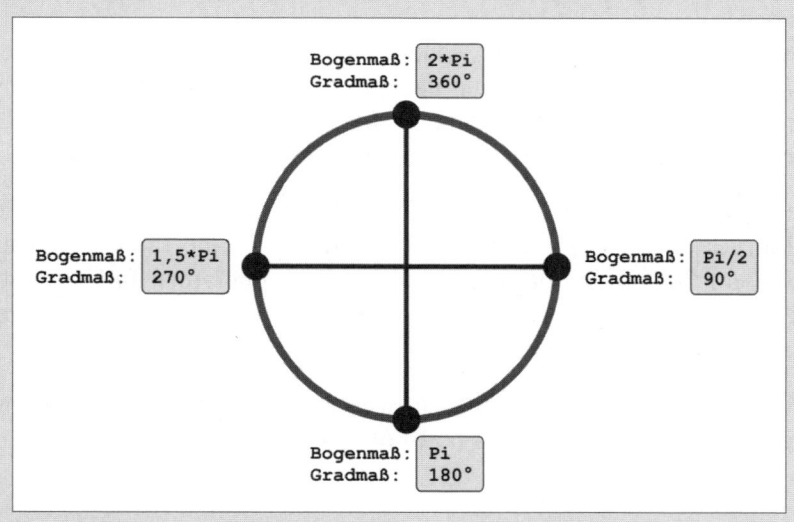

Du verstehst von diesem Programm (fast) gar nichts? Dann genieße einfach die Kurvenfahrt und experimentiere mit anderen Werten. Du kannst aber auch jemanden fragen, der sich mit den so genannten **Winkelfunktionen** Sinus (sin) und Kosinus (cos) auskennt und dir die mathematischen Zusammenhänge erklärt.

6

Noch was Rundes gefällig? Diesmal geht es um einen Ring aus lauter Kreisen. Auch hier lassen sich die Winkelfunktionen mit Sin und Cos verwenden (→ GRAFIK13.SB):

```
GraphicsWindow.Width  = 640
GraphicsWindow.Height = 480
GraphicsWindow.BackgroundColor = "Black"
For i = 0 To 2*Math.Pi Step Math.Pi/20
  x = Math.Sin(i) * 120 + 260
  y = Math.Cos(i) * 120 + 180
  Farbe = GraphicsWindow.GetRandomColor()
  GraphicsWindow.PenColor = Farbe
  GraphicsWindow.DrawEllipse(X,Y, 120,120)
EndFor
```

Farbteppiche

Nicht mehr einfach nur bunt, sondern schön farbig soll es jetzt werden. Was das heißt? Wir füllen nun das ganze Grafikfenster mit Farbe, aber nicht nur ein und derselben, sondern wir bringen dort eine ganze Palette unter, die z.B. auch ein Regenbogen haben kann.

Jede Farbe auf deinem Bildschirm lässt sich mit den drei Grundfarben Rot (Red), Grün (Green) und Blau (Blue) erzeugen. Eine Farbe auf einem (weißen) Blatt Papier dagegen benötigt die Grundfarben Türkis (Cyan), Lila (Magenta) und Gelb (Yellow). Die brauchen wir auch für unseren Regenbogen.

Malen wir zuerst einen einfachen Regenbogen, beginnen wir links mit Rot und enden rechts mit Lila (→GRAFIK14.SB):

```
GraphicsWindow.Width  = 660
GraphicsWindow.Height = 480
Color[0] = "Red"
Color[1] = "Yellow"
Color[2] = "Lime"
Color[3] = "Cyan"
Color[4] = "Blue"
Color[5] = "Magenta"
For Nr = 0 To 5
  xx = Nr*110
```

```
    GraphicsWindow.BrushColor = Color[Nr]
    GraphicsWindow.FillRectangle(xx,0, 110,480)
  EndFor
```

> Vom Namen her passender wäre die Farbe Green gewesen, sie ist
> aber in Small Basic ein dunkleres Grün. Das Original-Grün heißt hier
> Lime (und für Zyan und Magenta gibt es auch die Namen Aqua und
> Fuchsia).

Wenn du das Programm startest, bekommst du alle sechs genannten Farben nebeneinander. Das ist der Regenbogen, den die kleinen Kinder im
Kindergarten oder in der Grundschule malen (müssen oder dürfen). Wir
kümmern uns jetzt um den Regenbogen, von dem die (größeren) Kids
träumen.

Hier werden nur links und rechts die Vollfarben Rot und Magenta gemalt,
dazwischen kommen dann jeweils 5 Farbübergänge. Dazu benötigen wir
eine neue Methode, mit der wir gezielt jede einzelne der insgesamt über
16 Millionen Möglichkeiten an Farbtönen erzeugen könnten. Wir begnü-
gen uns mit einer Auswahl. Die Methode heißt GetColorFromRGB. Mit
»RGB« sind die drei Grundfarben gemeint: Rot-Grün-Blau (bzw. Red-
Green-Blue), weshalb die Methode auch drei Parameter übernimmt:

GetColorFromRGB(Rot-Anteil, Grün-Anteil, Blau-Anteil)

Möglich sind jeweils Werte zwischen 0 und 255, wobei 0 = nichts und
255 = voll bedeutet. In der Tabelle siehst du, welche RGB-Anteile die
sechs Hauptfarben haben:

	Rot	Gelb	Grün	Zyan	Blau	Magenta
R-Anteil	255	255	0	0	0	255
G-Anteil	0	255	255	255	0	0
B-Anteil	0	0	0	255	255	255

> Mit den drei Elementen des RGB-Farbraums lassen sich zwar alle Far-
> ben auf einem Monitor bzw. Display erzeugen, nicht aber auf einem
> (weißen) Blatt Papier. RGB gilt nur für Lichtfarben. Bei Drucken wer-
> den die anderen drei oben aufgeführten Farben benötigt: Auf Eng-
> lisch Cyan, Magenta und Yellow, weshalb diese drei Druck-Grundfar-
> ben auch unter CMY zusammengefasst werden. Wir benötigen in
> Small Basic nur RGB, denn wir malen auf dem Bildschirm.

Und nun zu den Farbübergängen, fünf an der Zahl: Rot-Gelb, Gelb-Grün, Grün-Zyan, Zyan-Blau und Blau-Magenta. In einer großen Zählschleife lassen wir jetzt die Farbläufe mit Hilfe von Linien entstehen. Damit wir nicht so viel Platz in der Fensterbreite brauchen, halbieren wir die Anzahl der Durchläufe (→ GRAFIK15.SB):

```
GraphicsWindow.Width  = 698
GraphicsWindow.Height = 480
Max = 127
'Links und rechts
GraphicsWindow.BrushColor = "Red"
GraphicsWindow.FillRectangle(0,0, Max/4,480)
GraphicsWindow.BrushColor = "Magenta"
GraphicsWindow.FillRectangle(5*Max+Max/4,0, Max/4,480)
'Übergänge
For i = 0 To Max
  'Rot-Gelb
  xx = i+Max/4
  Farbe = GraphicsWindow.GetColorFromRGB(255,2*i,0)
  GraphicsWindow.PenColor = Farbe
  GraphicsWindow.DrawLine(xx,0, xx,480)
Program.Delay(200)
  'Gelb-Grün
  xx = i+Max+Max/4
  Farbe = GraphicsWindow.GetColorFromRGB(255-2*i,255,0)
  GraphicsWindow.PenColor = Farbe
  GraphicsWindow.DrawLine(xx,0, xx,480)
  'Grün-Zyan
  xx = i+2*Max+Max/4
  Farbe = GraphicsWindow.GetColorFromRGB(0,255,2*i)
  GraphicsWindow.PenColor = Farbe
  GraphicsWindow.DrawLine(xx,0, xx,480)
  'Zyan-Blau
  xx = i+3*Max+Max/4
  Farbe = GraphicsWindow.GetColorFromRGB(0,255-2*i,255)
  GraphicsWindow.PenColor = Farbe
  GraphicsWindow.DrawLine(xx,0, xx,480)
  'Blau-Magenta
  xx = i+4*Max+Max/4
  Farbe = GraphicsWindow.GetColorFromRGB(2*i,0,255)
  GraphicsWindow.PenColor = Farbe
```

```
    GraphicsWindow.DrawLine(xx,0, xx,480)
EndFor
```

Und nun genieße die Pracht der Farben. Wenn du willst, kannst du ja mit den verwendeten Formeln ein wenig experimentieren.

Die Sache mit der Schildkröte

Widmen wir uns jetzt einem kleinen Tier, das sich in Small Basic zum Leben erwecken lässt. Du bist nicht im falschen Buch und es ist auch nicht geflunkert, das Wesen gibt es tatsächlich. Es muss nicht gefüttert werden und kann sogar zeichnen, indem es beim Laufen Spuren hinterlässt. Schauen wir uns mal an, wie es aussieht und sich bewegt (→ TURTLE1.SB):

```
GraphicsWindow.Width  = 640
GraphicsWindow.Height = 480
Zufall = Math.GetRandomNumber(150) + 50
Turtle.Move(Zufall)
Turtle.Turn(Zufall)
Turtle.Move(Zufall)
Turtle.PenUp()
Turtle.MoveTo(Zufall,Zufall)
Turtle.PenDown()
Turtle.Turn(-Zufall)
Turtle.Move(-Zufall)
```

Turtle heißt das liebe Tierchen (das englische Wort für Schildkröte), das du beim Wandern durch das Grafikfenster beobachten kannst. Man spricht hier auch von Turtle-Grafik.

Die anfängliche Startposition des Turtle-Stifts ist immer in der Fenstermitte. Und die Startrichtung zeigt nach oben. Das entspricht einem Winkel von 0 Grad. Die Schildkröte arbeitet im Gradmaß.

Nachdem wir zuerst einen Zufallswert erzeugt haben, setzen wir den überall ein, für Strecken wie für Winkel. Und das bedeuten die Anweisungen:

Mit Move bewegt sich die Schildkröte eine bestimmte Anzahl von Pixeln. Mit MoveTo geht sie direkt zu einem Punkt. Und Turn bewirkt, dass sie sich um einen bestimmten Winkel dreht. Hier wird nicht das Bogenmaß benutzt (wie noch beim letzten Beispiel mit Sinus und Kosinus).

> Mit den Anweisungen `TurnLeft` und `TurnRight` dreht sich die Schildkröte um genau 90 Grad nach links oder rechts.

Normalerweise zeichnet die Schildkröte beim Laufen. Soll sie nicht zeichnen, genügt die Anweisung `PenUp`. Und mit `PenDown` wird der Zeichenstift, den das treue Tierchen mit sich führt, wieder auf den Untergrund gesetzt.

Hier nochmal die Funktionen von `Move` und `Turn` im Überblick:

	Aktion	positiver Wert	negativer Wert
Move	Bewegen	vorwärts	rückwärts
Turn	Drehen	nach rechts	nach links
	Aktion	PenDown	PenUp
Move	Bewegen	zeichnen	nicht zeichnen

Im nächsten Programmbeispiel lassen wir die Schildkröte ein Quadrat zeichnen, aber so, wie es mit der `DrawRectangle`-Methode nicht möglich wäre (→ TURTLE2.SB):

```
GraphicsWindow.Width  = 640
GraphicsWindow.Height = 480
Zufall = Math.GetRandomNumber(200)+100
Turtle.X = 150
Turtle.Turn(45)
For i = 1 To 4
  Turtle.Move(Zufall)
  Turtle.TurnRight()
EndFor
```

Damit das Tierchen etwas mehr Platz nach rechts hat, setzen wir es weiter nach links. Über `Turtle.X` und `Turtle.Y` kann man die ursprüngliche Position in der Fenstermitte ändern. (Das ginge natürlich auch mit `PenUp` und `MoveTo`.) Dann wird die Schildkröte schräg nach oben rechts ausgerichtet, also um 45 Grad gedreht. In einer Zählschleife zieht sie dann vier gerade Linien und dreht sich jeweils am Ende um einen rechten Winkel. (Du kannst ja, wenn du willst, `TurnRight` auch mal durch `Turn` und einen Winkel ersetzen.)

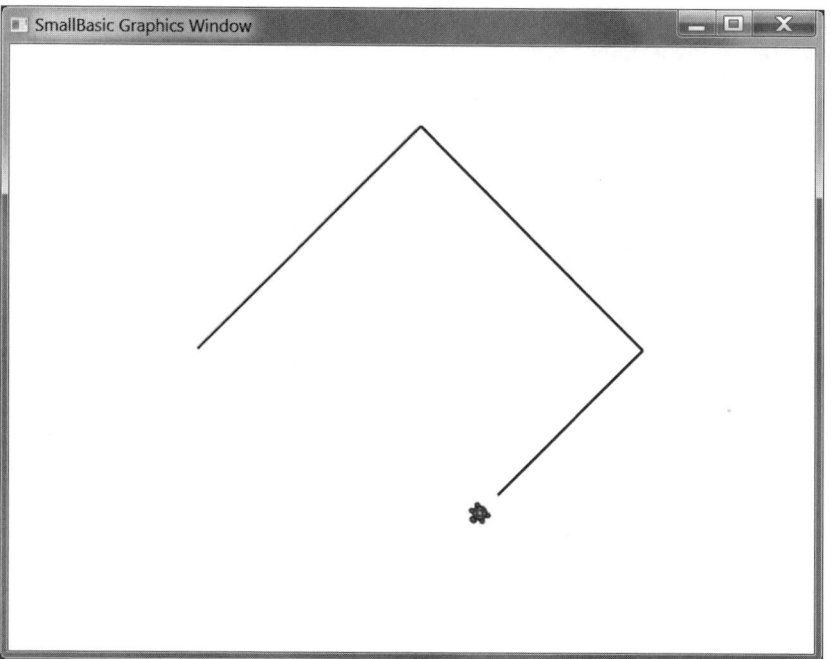

Wenn du lieber beliebige Vielecke haben möchtest, dann wird dir dieses Programm gefallen, in dem es mal um Dreiecke, mal um Zwölfecke, und alle Figuren dazwischen geht (→ TURTLE3.SB):

```
GraphicsWindow.Width  = 640
GraphicsWindow.Height = 480
Seiten = Math.GetRandomNumber(10) + 2
Zufall = Math.GetRandomNumber(500) + 500
Weg = Zufall / Seiten
Winkel = 360 / Seiten
Turtle.X = 250
Turtle.Y = 350
GraphicsWindow.Title = "Das wird ein " + Seiten + "-Eck"
Turtle.TurnRight()
For i = 1 To Seiten
  Turtle.Move(Weg)
  Turtle.Turn(-Winkel)
EndFor
```

Dazu setzen wir die Schildkröte (nicht zu weit) nach links unten. Über zwei Formeln berechnen wir eine einzelne Seitenlänge (Weg) und den Winkel, um den sich die Schildkröte beim Laufen jeweils drehen muss. Dabei ergibt Zufall den gesamten Umfang der Figur, und der Wert 360 entspricht einem Vollwinkel. Auch hier empfehle ich dir, mit anderen Werten zu experimentieren.

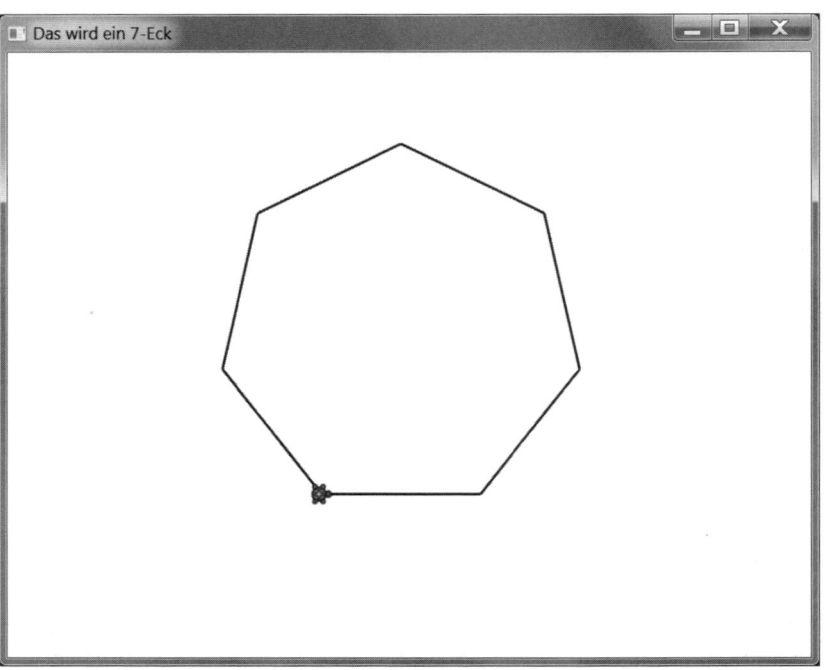

Natürlich ist es auch möglich, die Schildkröte zum Zeichnen einer Spirale zu bewegen, wie du hier sehen kannst (→ TURTLE4.SB):

```
GraphicsWindow.Width  = 640
GraphicsWindow.Height = 480
Weg = 5
Winkel = 45
GraphicsWindow.Title = "Das wird eine Spirale"
While Winkel > 30
  Weg = Weg + 2
  Winkel = Winkel - 0.2
  Turtle.Turn(Winkel)
  Turtle.Move(Weg)
EndWhile
```

Wenn dir das Ganze zu langsam geht, kannst du die Geschwindigkeit der Schildkröte so beschleunigen:

```
Turtle.Speed = 9
```

(Normal ist 5, sehr langsam wäre 1, und 10 ist das Schnellste, wobei das arme Tier da schon herzinfarktgefährdet sein könnte.)

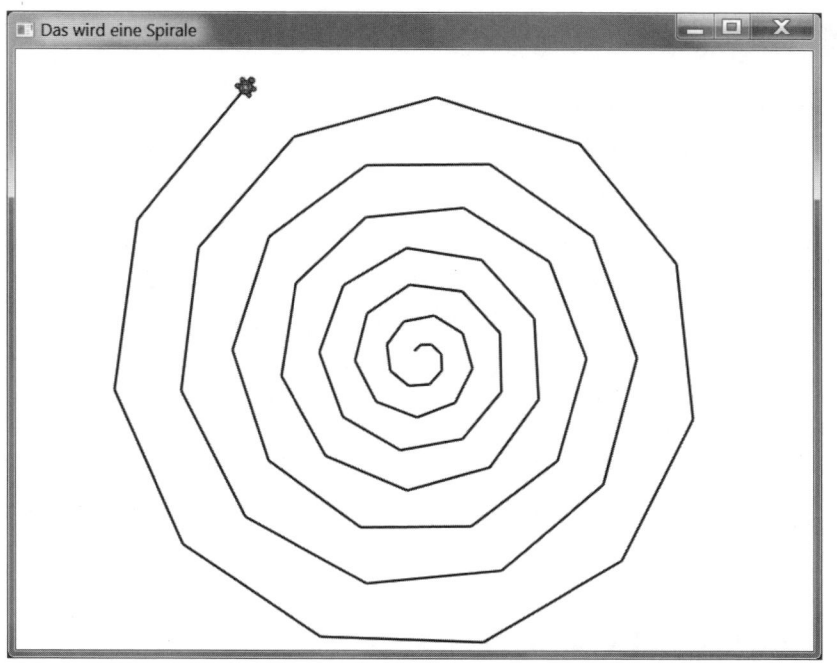

Zusammenfassung

Und wieder wird es Zeit für eine kleine Verschnaufpause, vor allem für unsere Schildkröte. Auch hier ist dein Wortschatz wieder um einiges angewachsen. Da wären zunächst ein paar Methoden und Eigenschaften der Klassen GraphicsWindow und Math:

SetPixel	einzelnen Bildpunkt setzen (löschen mit Hintergrundfarbe)
Title	Titelleiste des Grafikfensters
Clear	Inhalt des Grafikfensters löschen
GetColorFromRGB	Farbe aus RGB-Anteilen zusammensetzen
Sin/Cos	mathematische Winkelfunktionen
Pi	Kreisumfang / Kreisdurchmesser (ca. 3,14)
GetRadians	Grad eines Winkels in Bogenmaß (Pi-Wert) umwandeln
GetDegrees	Bogenmaß (Pi-Wert) eines Winkels in Grad umwandeln

Dazu kommen mehr als eine Handvoll Elemente der Klasse Turtle:

Turtle	Klasse zum Bewegen und Zeichnen eines Stiftes (Schildkröte)
Move	Turtle eine bestimmte Anzahl von Pixeln bewegen
MoveTo	Turtle zu einem bestimmten Punkt bewegen
Turn	Turtle um einen Winkel drehen (in Grad)
TurnLeft	Turtle um 90 Grad nach links drehen
TurnRight	Turtle um 90 Grad nach rechts drehen
Speed	Turtle-Geschwindigkeit (1 bis 10)
PenDown	Zeichenstift aufsetzen = Bewegen mit Zeichnen
PenUp	Zeichenstift absetzen = Bewegen ohne Zeichnen

Keine Frage ...

... aber eine Menge Aufgaben

1. Erstelle aus GRAFIK11.SB ein neues Programm, in dem immer einige »Bälle« auftauchen und wieder verschwinden.

2. Ändere das Programm mit den Sin-Cos-Kurven (GRAFIK13.SB): Zeichne mit FillEllipse.

3. Wie wird aus einem Vieleck ein Kreis? Schreibe ein Programm, in dem die Schildkröte einen Kreis zeichnet.

4. Ändere das Projekt GRAFIK15.SB so um, dass deine Farbpalette nicht nur links bei Rot beginnt, sondern auch rechts wieder bei Rot landet.

5. Wie wäre es mit einem echten Regenbogen (also dem Einsatz von DrawEllipse statt DrawLine)?

6. Lass die Schildkröte (Turtle) deinen Namen schreiben.

7. Mach aus der Spirale in TURTLE4.SB ein Spinnennetz.

7

Objekte und Ereignisse

Die Möglichkeiten, in Small Basic eigene Bilder zu zeichnen bzw. zu malen, sind ja nicht übel, aber wie steht es um das Bewegen grafischer Objekte? Dafür bietet uns Small Basic gleich eine eigene Klasse. Zusätzlich nehmen wir Tastatur und Maus zur Hilfe.

In diesem Kapitel lernst du

◎ wie man grafische Objekte bewegt und dreht

◎ wie sich die Größe von Objekten ändern lässt

◎ wie man Objekte langsam unsichtbar macht

◎ etwas über Ereignisse

◎ wie man Prozeduren (Unterprogramme) erstellt

◎ den Einsatz von Maus und Tastatur kennen

◎ wie man im Grafikfenster einen Button benutzt

7

Shapes

Schön wäre es, Figuren nicht nur zeichnen, sondern auch bewegen zu können. Auch da hat Small Basic was zu bieten. Schauen wir uns an, wie man einen Kreis dazu bringt, durch das Grafikfenster zu schweben (→ SHAPES1.SB):

```
GraphicsWindow.Width  = 640
GraphicsWindow.Height = 480
Kreis = Shapes.AddEllipse(100,100)
For x = 0 To 540
  Shapes.Move(Kreis, x,180)
  Program.Delay(10)
EndFor
```

Shapes heißt die Klasse, die uns eine ganze Menge Methoden zur Verfügung stellt, mit der man ein grafisches Objekt über den Bildschirm bzw. ein Fenster scheuchen kann.

Mit AddEllipse fügen wir eine Ellipse in unseren »Transportbehälter«. Höhe und Breite des umgebenden (unsichtbaren) Rechtecks müssen als Parameter übergeben werden. Sind beide Werte gleich, haben wir – wie hier – einen Kreis. In einer Zählschleife wird dann bewegt. Das erledigt die Move-Methode. Dabei wird als Erstes wie bei fast allen Methoden von Shapes der **Name** des grafischen Objekts und dann der **Zielpunkt** übergeben, diese Methode könnte also auch MoveTo heißen. Damit es nicht zu schnell geht, nutzen wir wieder Delay als Bremse.

Im nächsten Beispiel lassen wir mal zwei Objekte laufen, und zwar jeweils aufeinander zu (→ SHAPES2.SB):

```
GraphicsWindow.Width  = 640
GraphicsWindow.Height = 480
GraphicsWindow.BrushColor = "Red"
Kreis = Shapes.AddEllipse(100,100)
GraphicsWindow.BrushColor = "Blue"
Quadrat = Shapes.AddRectangle(100,100)
For x = 0 To 540
  Shapes.Move(Kreis, x,180)
  Shapes.Move(Quadrat, 540-x,180)
  Program.Delay(10)
EndFor
```

Auch hier lässt sich natürlich die Füllfarbe ändern, in unserem Fall einmal in Rot und einmal in Blau. Wie du siehst, tun die beiden sich nichts, sondern Kreis und Quadrat laufen schön aneinander vorbei, das zuerst hinzugefügte Objekt hinten, das zweite vorn.

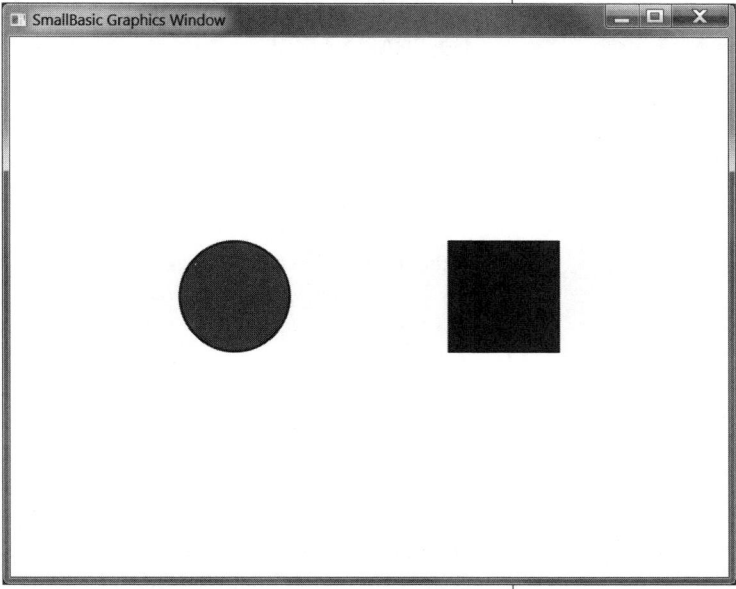

Außer AddEllipse und AddRectangle gibt es noch AddLine, AddTriangle und AddText zum Sammeln weiterer grafischer Figuren. Die Bedeutung von AddImage lernst du im Folgekapitel kennen.

Weil Shapes mit Animate eine Methode hat, die Figuren direkt zu einer Stelle hinbewegt, könnten wir uns die For-Schleife auch sparen (→ SHAPES3.SB):

```
GraphicsWindow.Width  = 640
GraphicsWindow.Height = 480
Farbe = GraphicsWindow.GetRandomColor()
GraphicsWindow.BrushColor = Farbe
Kreis = Shapes.AddEllipse(100,100)
Shapes.Move(Kreis, 0,180)
Shapes.Animate(Kreis, 540,180,3000)
```

Ich habe mich hier auf ein Objekt beschränkt, diesem dafür aber diesmal eine Zufallsfarbe gegeben. Die Animationsmethode übernimmt gleich vier Parameter:

```
Animate(Objekt, x,y, Dauer)
```

Wobei die Dauer wie schon bei Delay üblich in Millisekunden angegeben wird.

Im nächsten Beispiel soll sich das Objekt beim Bewegen drehen. Weil man das bei einem Kreis nicht sieht, verwenden wir wieder das Quadrat (→ SHAPES4.SB):

```
GraphicsWindow.Width  = 640
GraphicsWindow.Height = 480
Farbe = GraphicsWindow.GetRandomColor()
GraphicsWindow.BrushColor = Farbe
Quadrat = Shapes.AddRectangle(100,100)
For x = 0 To 540
  Shapes.Move(Quadrat, x,180)
  Shapes.Rotate(Quadrat, x)
  Program.Delay(10)
EndFor
```

Per Rotate wird das Objekt in Drehung versetzt. Der erste Parameter ist wieder der Name des Objekts, der zweite übernimmt den **Winkel** (in Grad). Damit sich auch laufend etwas dreht, muss dieser Winkel sich ständig ändern. Hier wird wieder eine Schleife gebraucht.

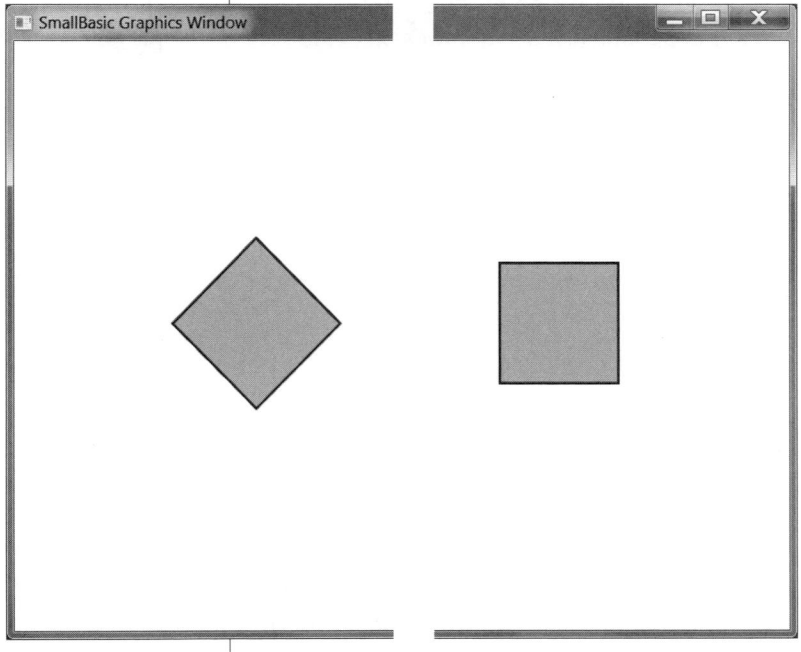

Shapes kann noch einiges mehr. So lässt sich auch die Größe des Objekts ändern, hier wieder am Beispiel unseres Quadrates, das nun aus dem Nichts nach vorn zu kommen scheint (→ SHAPES5.SB):

```
GraphicsWindow.Width  = 640
GraphicsWindow.Height = 480
Farbe = GraphicsWindow.GetRandomColor()
GraphicsWindow.BrushColor = Farbe
Quadrat = Shapes.AddRectangle(100,100)
Shapes.Move(Quadrat, 270,180)
For x = 0 To 540
  Shapes.Rotate(Quadrat, x)
  Shapes.Zoom(Quadrat, x/150,x/150)
  Program.Delay(10)
EndFor
```

Zuständig ist hier die Methode Zoom, die außer dem Objektnamen zwei Parameter für die Vergrößerung oder Verkleinerung übernimmt. Probiere selbst aus, was passiert, wenn du zwei verschiedene Werte übergibst. (Du kannst auch jeden von beiden mal nur auf 1 setzen.)

Versuchen wir's mal rückwärts: Das Quadrat hat anfangs seine volle Größe und soll dann nach hinten verschwinden (→ SHAPES6.SB):

```
GraphicsWindow.Width  = 640
GraphicsWindow.Height = 480
Farbe = GraphicsWindow.GetRandomColor()
GraphicsWindow.BrushColor = Farbe
Quadrat = Shapes.AddRectangle(100,100)
Shapes.Move(Quadrat, 270,180)
For x = 540 To 40 Step -1
  Shapes.Rotate(Quadrat, x)
  Shapes.Zoom(Quadrat, x/150,x/150)
  Shapes.SetOpacity(Quadrat, x/5)
  Program.Delay(10)
EndFor
```

Da ist noch eine neue Methode dazugekommen: Während das Quadrat immer kleiner wird, wird es auch immer durchsichtiger. Dafür sorgt SetOpacity. Der zweite Parameter sollte ein Wert zwischen 0 (unsichtbar) und 100 (voll sichtbar) sein.

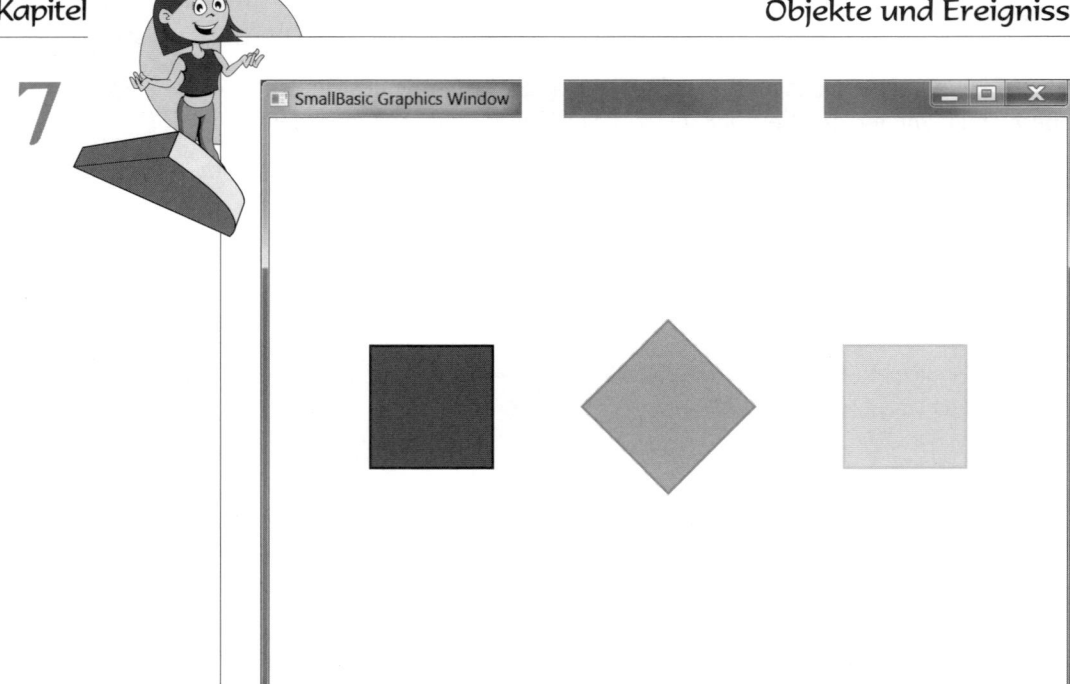

Eine kleine Ballerei

In vielen Spielen gibt es mindestens eine Hauptfigur, meistens sind es Personen, aber auch ein Auto bei einem Rennspiel wäre dann eine »Hauptfigur«. Wir machen es uns jetzt ganz einfach: Bei uns ist es ein kleiner Ball (oder eine Kugel). Dieses Objekt soll sich über ein Spielfeld bewegen und an den Rändern abprallen. Unser Objekt erzeugen wir auf die schon bekannte Art:

```
Ball = Shapes.AddEllipse(50,50)
```

Wir benötigen ja nichts weiter als einen farbigen Kreis. Bevor der Ball starten darf, müssen wir ein paar Startwerte festlegen, zum einen die Koordinaten der Fenstermitte (dort startet der Ball), zum anderen die Schrittweiten für die Objektbewegungen:

```
x = 300
y = 220
xDiff = 15
yDiff = 10
```

Und nun muss jeder Rand einzeln kontrolliert werden. Sollte der Ball über ihn hinauswollen, dann wird seine Bewegung umgekehrt, er prallt ab. Genau genommen ändert sich nur die horizontale **oder** die vertikale Richtung. Dadurch verlässt der Ball den Rand in demselben Winkel, in dem er dort angekommen ist. Insgesamt geht es um vier Bedingungen, von denen sich jeweils zwei zusammenfassen lassen, wie diese Tabelle zeigt:

	horizontal	Rand	vertikal	Rand
If	x < 5	links	y < 5	oben
Or	x > 580	rechts	y > 420	unten
Then	xDiff = -xDiff		yDiff = -yDiff	

Die neuen Werte von xDiff und yDiff werden zu den aktuellen Koordinaten gezählt, und der Ball bewegt sich weiter:

```
x = x + xDiff
y = y + yDiff
Shapes.Move(Ball, x,y)
```

Je nachdem, ob xDiff und yDiff positiv oder negativ sind, wird mal ein Wert addiert, mal einer subtrahiert (= eine negative Zahl addiert).

Und so kommen wir zu diesem Quelltext (→ BALL1.SB):

```
GraphicsWindow.Width  = 640
GraphicsWindow.Height = 480
GraphicsWindow.BackgroundColor = "Green"
GraphicsWindow.BrushColor = "Red"
Ball = Shapes.AddEllipse(50,50)
'Startwerte
x = 300
y = 220
xDiff = 15
yDiff = 10
'Endlos-Schleife
While 1 = 1
  'Rand links und rechts kontrollieren
  If (x < 5) Or (x > 580) Then
    xDiff = -xDiff
  EndIf
  'Rand oben und unten kontrollieren
  If (y < 5) Or (y > 420) Then
    yDiff = -yDiff
  EndIf
  'Ball bewegen
```

```
    x = x + xDiff
    y = y + yDiff
    Shapes.Move(Ball, x,y)
    Program.Delay(30)
EndWhile
```

Damit der Ball sich immerzu bewegt, benötigen wir eine Schleife, deren Bedingung immer erfüllt ist, damit sie nie aufhört, also endlos ist. Eine Bedingung wie 1 = 1 erfüllt diesen Zweck. (Beenden lässt sich das Programm ja wie üblich über das X-Symbol oben rechts.)

Small Basic bietet auch diese Möglichkeiten für eine Schleifen-Bedingung, die

immer erfüllt ist: While "True"

nie erfüllt ist: While "False"

Grundsätzlich kann man für alle Bedingungen sagen:

Wenn eine Bedingung erfüllt ist, ergibt sie den Wert "True" (wahr),

wenn eine Bedingung nicht erfüllt ist, ist ihr Wert "False" (falsch).

Ein Beispiel:

```
Eingabe = 10
If Eingabe > 5 Then ‡ Bedingung = "True"
If Eingabe < 5 Then ‡ Bedingung = "False"
```

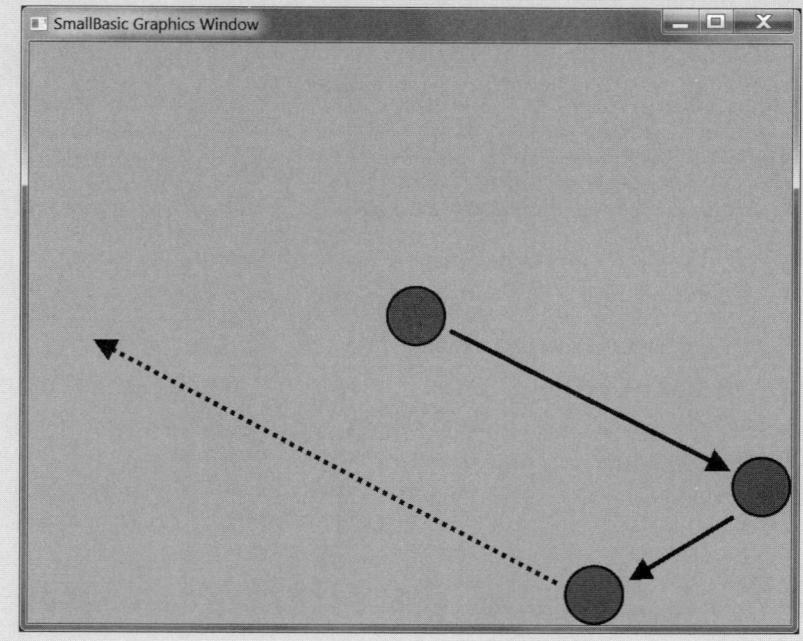

Hier ist der Einsatz von Shapes für den Ball und seine Bewegung sinnvoller als der über GraphicsWindow (→ BALL1A.SB). Dort müsste der Quelltext fürs Zeichnen (und Übermalen) des Balls so aussehen:

```
GraphicsWindow.BrushColor = "Red"
GraphicsWindow.FillEllipse(x,y, 50,50)
Program.Delay(30)
GraphicsWindow.BrushColor = "Green"
GraphicsWindow.FillEllipse(x-5,y-5, 60,60)
```

Bewegung auf Tastendruck

Schön wäre es, wenn man den Ball irgendwie steuern könnte. Bleiben wir erst einmal ganz bescheiden, es soll hier genügen, den Ball per Tastendruck in Bewegung zu versetzen oder ihn wieder zu stoppen. Dazu gibt es in Small Basic die Möglichkeit der **Ereignissteuerung**. So kann das Grafikfenster verschiedene Ereignisse »wahrnehmen«, unter anderem, ob eine Taste gedrückt oder losgelassen wurde. Dabei kann diese Taste von der Tastatur oder von der Maus stammen. Außerdem merkt das Fenster, ob die Maus bewegt oder Text eingegeben wurde. Dazu eine kleine Tabelle:

	drücken	loslassen	(sonstiges)
Taste	KeyDown	KeyUp	TextInput
Maus(taste)	MouseDown	MouseUp	MouseMove

Damit wir selbst bestimmen können, was bei einem Ereignis passiert, können wir dazu eine eigene **Prozedur** vereinbaren, auch Unterprogramm genannt (englisch: **Sub**routine). Den Namen bestimmen wir selbst, es empfiehlt sich aber, einen Namen zu verwenden, der gut zum Ereignis passt. In unserem Fall könnte das so aussehen:

```
Sub OnKeyDown
  Start = -Start
EndSub
```

Die Prozedur wird mit Sub eingeleitet und mit EndSub abgeschlossen (erinnert z.B. an If-EndIf und While-EndWhile). Was dazwischen steht, ist das, was bei einem Ereignis wie einem Tastendruck passieren soll. Ich komme gleich darauf zurück. Damit eine solche Prozedur überhaupt funktionieren kann, muss sie mit einem Ereignis verknüpft werden. Das geschieht durch diese Zuweisung:

```
GraphicsWindow.KeyDown = OnKeyDown
```

Nun kümmern wir uns darum, was passieren soll. Zu Anfang soll der Ball in der Mitte liegen und sich nicht rühren. Dazu setzen wir eine neue Variable mit dem Namen Start auf -1:

```
Start = -1
```

Wenn eine (beliebige) Taste gedrückt wird, soll der Wert dieser Variablen erst auf 1 geändert werden, dann wieder auf -1 und so fort. Das erledigt die Zuweisung in der Prozedur OnKeyDown:

```
Start = -Start
```

Solange Start nun den Wert 1 hat, bewegt sich der Ball, sonst nicht. Dazu fügen wir der Endlos-Schleife eine weitere While-Struktur hinzu, haben es also dann mit einer Doppelschleife zu tun:

```
While Start = 1
  'Randkontrolle und Bewegung
EndWhile
```

Womit sich das Programm nun so ändert (→ BALL2.SB):

```
GraphicsWindow.Width  = 640
GraphicsWindow.Height = 480
GraphicsWindow.BackgroundColor = "Green"
GraphicsWindow.BrushColor = "Red"
Ball = Shapes.AddEllipse(50,50)
'Startwerte
x = 300
y = 220
xDiff = 15
yDiff = 10
Start = -1
Shapes.Move(Ball, x,y)
'Tasten-Ereignis
GraphicsWindow.KeyDown = OnKeyDown
Sub OnKeyDown
  Start = -Start
EndSub
'Endlos-Schleife
While 1 = 1
  While Start = 1
    'Rand links und rechts kontrollieren
    If (x < 5) Or (x > 580) Then
```

```
      xDiff = -xDiff
    EndIf
    'Rand oben und unten kontrollieren
    If (y < 5) Or (y > 420) Then
      yDiff = -yDiff
    EndIf
    'Ball bewegen
    x = x + xDiff
    y = y + yDiff
    Shapes.Move(Ball, x,y)
    Program.Delay(30)
  EndWhile
EndWhile
```

Nun zieht der Ball seine Bahnen, sobald du irgendeine Taste auf deiner
Tastatur gedrückt hast, beim nächsten Tastendruck hört das Spielchen
wieder auf.

Wichtig ist, dass im Quelltext die Zuweisung eines Prozedurnamens
vor der Vereinbarung der Prozedur (Sub) erfolgt. Sonst gibt Small
Basic verwirrt eine Fehlermeldung aus. (Obwohl doch der Name
schon durch die Prozedur bekannt sein müsste.)

Ball2.sb * - C:\Users\Boss\Documents\Small Basic\Quell\Ball2.sb

```
 1  'Ball 2
 2  GraphicsWindow.Width  = 640
 3  GraphicsWindow.Height = 480
 4  GraphicsWindow.BackgroundColor = "Green"
 5  GraphicsWindow.BrushColor = "Red"
 6  Ball = Shapes.AddEllipse(50,50)
 7  'Tasten-Ereignis
 8  Sub OnKeyDown
 9    Start = -Start
10  EndSub
11  GraphicsWindow.KeyDown = OnKeyDown
```

Es wurden Fehler gefunden...   Schließen

11,26: Die Variable 'OnKeyDown' wird verwendet, aber ihr Wert wurde nicht zugewiesen.

   Bitte überprüfen Sie den Namen der Variablen.

1,6

Mausklicks

Was mit der Tastatur geht, funktioniert natürlich auch mit Mausklick. Dazu ist nur eine kleine Änderung an zwei Stellen nötig, und zwar diese (→ BALL3.SB):

```
GraphicsWindow.MouseDown = OnMouseDown
Sub OnMouseDown
  Start = -Start
EndSub
```

Was vorher das Gespann `KeyDown` und `OnKeyDown` erledigt haben, ist jetzt Aufgabe von `MouseDown` und `OnMouseDown`.

Das ist aber nicht alles, was man mit der Maus anstellen kann. In Small Basic gibt es eine interessante Klasse mit dem Namen `Controls`. Und mit deren Hilfe werden wir ein bisschen mehr Komfort und Windows-Feeling in unser Grafikfenster bringen.

Schau dir dazu mal das neue Programm an und probiere es gleich aus (→ BALL4.SB):

```
GraphicsWindow.Width  = 640
GraphicsWindow.Height = 480
GraphicsWindow.BackgroundColor = "Green"
GraphicsWindow.BrushColor = "Red"
Ball = Shapes.AddEllipse(50,50)
'Startwerte
x = 300
y = 220
xDiff = 15
yDiff = 10
Start = -1
Shapes.Move(Ball, x,y)
'Button einfügen
Button = Controls.AddButton("Start", 280,430)
Controls.SetSize(Button, 100,30)
'ButtonClick-Ereignis
Controls.ButtonClicked = OnClick
Sub OnClick
  Start = -Start
  If Start = 1 Then
    Controls.SetButtonCaption(Button, "Stopp")
  Else
    Controls.SetButtonCaption(Button, "Start")
```

```
   EndIf
EndSub
'Endlos-Schleife
While 1 = 1
  While Start = 1
    'Rand links und rechts kontrollieren
    If (x < 5) Or (x > 580) Then
      xDiff = -xDiff
    EndIf
    'Rand oben und unten kontrollieren
    If (y < 5) Or (y > 420) Then
      yDiff = -yDiff
    EndIf
    'Ball bewegen
    x = x + xDiff
    y = y + yDiff
    Shapes.Move(Ball, x,y)
    Program.Delay(30)
  EndWhile
EndWhile
```

Bevor wir ein Ereignis »abfangen« können, müssen wir erst einmal eine **Komponente** ins Grafikfenster einbauen (statt Komponente kann man hier auch Kontrollelement sagen):

```
Button = Controls.AddButton(" Start ", 280,430)
Controls.SetSize(Button, 100,30)
```

Mit AddButton wird ein Button mit der Aufschrift »Start« an eine bestimmte Stelle des Grafikfensters gesetzt, in unserem Fall ziemlich weit unten, damit er nicht zu sehr im Weg ist. Und mit SetSize lässt sich die Buttongröße einstellen.

Die Ereignissteuerung kennen wir schon. Die OnClick-Methode ist etwas umfangreicher, weil ich hier noch die Buttonaufschrift anpassen will. Ist der Ball in Bewegung, stimmt »Start« nämlich nicht mehr. Die Aufschrift wird mit SetButtonCaption geändert:

```
Controls.ButtonClicked = OnClick
Sub OnClick
  Start = -Start
  If Start = 1 Then
    Controls.SetButtonCaption(Button, "Stopp")
  Else
    Controls.SetButtonCaption(Button, "Start")
  EndIf
EndSub
```

7 Zusammenfassung

Das war nicht das letzte Projekt mit einem Ball, aber wir sind am Ende dieses Kapitels. Immerhin bewegt sich was, und du hast sogar die Möglichkeit, schon ein bisschen steuernd einzugreifen. Mehr Macht bekommst du im nächsten Kapitel.

Fassen wir wieder zusammen, was hier an Neuigkeiten aufgetaucht ist und du von Small Basic behalten hast. Du weißt, welche **Ereignisse** das Grafikfenster »spüren« kann:

KeyDown	Taste auf der Tastatur wurde gedrückt
KeyUp	Taste auf der Tastatur wurde losgelassen
MouseDown	Maustaste wurde gedrückt
MouseMove	Maus wurde über Fensterfläche bewegt
MouseUp	Maustaste wurde losgelassen
TextInput	Text wurde eingegeben

Und du kennst die Wörter für das Erstellen eigener Prozeduren:

Sub	Prozedurnamen vereinbaren
EndSub	Prozedur abschließen

Auch zwei neue Klassen – für Formen und Komponenten – sind hier aufgetaucht:

Shapes	Klasse zum Bewegen, Drehen und Vergrößern/Verkleinern von Objekten
AddEllipse	eine Ellipse als Objekt aufnehmen
AddRectangle	ein Rechteck als Objekt aufnehmen
Move	ein Objekt an eine andere Stelle setzen
Animate	ein Objekt zu einer Stelle bewegen
Rotate	ein Objekt drehen
Zoom	ein Objekt in seiner Größe ändern
SetOpacity	ein Objekt sichtbar/durchsichtig machen
Controls	Klasse für Komponenten wie Buttons und Textfenster

AddButton	einen Button ins Grafikfenster einfügen
SetSize	die Größe des Buttons ändern
SetButton-Caption	die Buttonaufschrift ändern

Schließlich weißt du, dass alle Bedingungen diesen Werten entsprechen:

| "True" | Bedingung ist erfüllt (wahr) |
| "False" | Bedingung ist nicht erfüllt (falsch) |

Ein paar Fragen ...

1. Was ist der Unterschied zwischen der Move-Methode von Turtle und von Shapes?

2. Wie kann man die Größe einer Figur verdoppeln und halbieren, wie kann man die Figur um 90 bzw. 180 Grad drehen?

3. Was ist eine Prozedur?

4. Wie behandelt man in Small Basic Ereignisse?

... und ein paar Aufgaben

1. Lass das Quadrat und den Kreis in SHAPES2.SB mit Animate gegeneinander laufen.

2. Die beiden Objekte sollen sich aufeinander zubewegen, dabei immer »blasser« werden und sich in der Mitte fast unsichtbar treffen.

3. Wie bekommst du einen Ball dazu, dass er nur am Fensterrand entlangläuft? Schreibe eines der Ball-Programme entsprechend um.

8

Tasten- und Maussteuerung

Nachdem du nun weißt, wie man grafische Objekte anzeigen und sich bewegen lassen kann, bringen wir jetzt unsere Objekte gewissermaßen auf den Weg. Sie sollen sich nicht nur mit der Tastatur oder Maus starten, sondern auch über das Spielfeld lenken lassen. Schließlich kommen wir zu einem kleinen Spiel, bei dem dein Reaktionsvermögen gefragt ist.

In diesem Kapitel lernst du

◎ wie man bestimmte Tasten auswertet

◎ mehr über Maussteuerung

◎ wie man eine Figur über ein Spielfeld lenkt

◎ etwas über Kollisionskontrolle

Einsatz der Pfeiltasten

Bleiben wir beim grünen Spielfeld mit dem roten Ball. Fangen wir ihn ein, denn ab jetzt steuern wir den Ball erst mit den Tasten, dann mit der Maus. Diesmal genügt es nicht, nur auf ein Ereignis zu warten, sondern wir müssen weitere Daten auswerten: Bei der Tastensteuerung wollen wir ja die Pfeiltasten nutzen, bei der Maussteuerung benötigen wir die Position des Mauszeigers. Small Basic hält auch dafür Eigenschaften bereit, die du hier kennen lernen wirst.

Nehmen wir uns den ersten Fall vor. Hier ist gleich das ganze Programm (→ BALL5.SB):

```
GraphicsWindow.Width  = 640
GraphicsWindow.Height = 480
GraphicsWindow.BackgroundColor = "Green"
GraphicsWindow.BrushColor = "Red"
Ball = Shapes.AddEllipse(50,50)
'Startwerte
x = 300
y = 220
xDiff = 10
yDiff = 10
Shapes.Move(Ball, x,y)
'Tasten-Ereignis
GraphicsWindow.KeyDown = OnKeyDown
Sub OnKeyDown
  If GraphicsWindow.LastKey = "Left" Then
    If x > 0 Then
      x = x - xDiff
    EndIf
  ElseIf GraphicsWindow.LastKey = "Right" Then
    If x < 590 Then
      x = x + xDiff
    EndIf
  ElseIf GraphicsWindow.LastKey = "Up" Then
    If y > 0 Then
      y = y - yDiff
    EndIf
  ElseIf GraphicsWindow.LastKey = "Down" Then
    If y < 430 Then
      y = y + yDiff
    EndIf
  EndIf
  'Ball bewegen
  Shapes.Move(Ball, x,y)
EndSub
```

Wie du siehst, ist alles, was mit der Bewegung zu tun hat, in die Prozedur `OnKeyDown` gewandert. Dort gibt es vier »dicke« Zweige mit `If` bzw. `ElseIf`, für jede Pfeiltaste einen. Die Eigenschaft `LastKey` enthält den Wert der gedrückten Taste, den Small Basic als Text interpretiert. Für die Pfeiltasten ergeben sich diese `Key`-Namen:

`"Left"`	Pfeiltaste links	`"Right"`	Pfeiltaste rechts
`"Up"`	Pfeiltaste rauf	`"Down"`	Pfeiltaste runter

Wenn du wissen willst, welchen Tasten `LastKey` welchen Namen zuordnet, dann hilft dir dieses kleine Programm weiter:

```
GraphicsWindow.KeyDown = OnKeyDown
Sub OnKeyDown
   Taste = GraphicsWindow.LastKey
   GraphicsWindow.Title = Taste
EndSub
```

Damit habe ich jede Menge Tastennamen herausfinden können, z. B. diese:

`"Return"`	↵ , Enter	`"Escape"`	Esc
`"PageUp"`	Bild ↑	`"Next"`	Bild ↓
`"Home"`	Pos1	`"End"`	Ende
`"Space"`	Leertaste		

Wenn jede Pfeiltaste ihr `If` oder `ElseIf` hat, muss noch in einem weiteren »dünnen« Zweig dafür gesorgt werden, dass der Ball das Spielfeld nicht verlässt, sondern am Rand liegen bleibt. Alles zusammen sieht dann für die Horizontale (links-rechts) so aus:

```
If GraphicsWindow.LastKey = "Left" Then
   If x > 0 Then
     x = x - xDiff
   EndIf
ElseIf GraphicsWindow.LastKey = "Right" Then
   If x < 590 Then
     x = x + xDiff
   EndIf
```

Und hier ist die Abfrage für die Vertikale (rauf-runter):

```
ElseIf GraphicsWindow.LastKey = "Up" Then
   If y > 0 Then
```

```
      y = y - yDiff
    EndIf
  ElseIf GraphicsWindow.LastKey = "Down" Then
    If y < 430 Then
      y = y + yDiff
    EndIf
EndIf
```

Sind die neuen Koordinaten ermittelt und gesetzt, kann verschoben werden:

```
Shapes.Move(Ball, x,y)
```

Nun kannst du den Ball (oder ein anderes grafisches Objekt) mit den Pfeiltasten über ein Spielfeld steuern, allerdings nur in horizontalen und vertikalen Bewegungen. (Eine Kombination zweier Pfeiltasten ist unter Small Basic nicht möglich.)

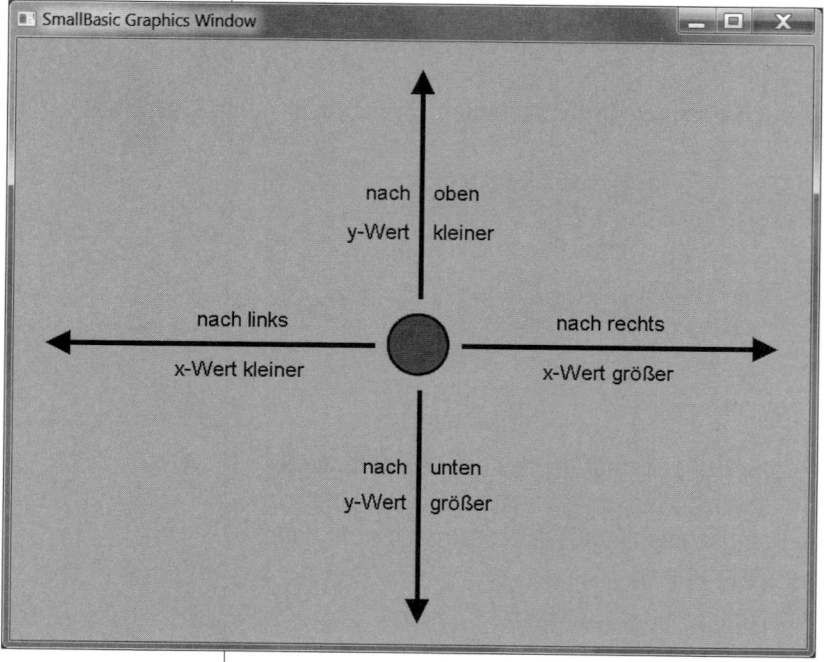

MouseMove oder MouseClick?

Wie sieht es bei der Maussteuerung aus? Müsste es da nicht ähnlich wie im letzten Kapitel sein? Man tauscht einfach das Tastenereignis durch ein Mausereignis aus? Irgendwie passt da was nicht? Klar, denn was ersetzt jetzt die Pfeiltasten?

Die einfachste Lösung wäre es, wenn der Ball einfach der Mausbewegung folgt. Dazu benötigen wir die Position, die uns das Grafikfenster mit den Eigenschaften MouseX und MouseY zur Verfügung stellt. Wir müssen also x und y nur entsprechend aktualisieren:

```
x = GraphicsWindow.MouseX-25
y = GraphicsWindow.MouseY-25
```

Weil ich den Mittelpunkt des Balles unter den Mauszeiger bringen möchte, ziehe ich von den Mauskoordinaten den Ballradius ab.

Nun ersetzen wir noch das Ereignis KeyDown durch MouseMove und schon ist unser nächstes Programm fertig, und es fällt sogar recht kurz aus (→ BALL6.SB):

```
GraphicsWindow.Width  = 640
GraphicsWindow.Height = 480
GraphicsWindow.BackgroundColor = "Green"
GraphicsWindow.BrushColor = "Red"
Ball = Shapes.AddEllipse(50,50)
'Startwerte
x = 300
y = 220
Shapes.Move(Ball, x,y)
'Maus-Ereignis
GraphicsWindow.MouseMove = OnMouseMove
Sub OnMouseMove
   x = GraphicsWindow.MouseX-25
   y = GraphicsWindow.MouseY-25
   Shapes.Move(Ball, x,y)
EndSub
```

Wenn wir den Ball mit der Maustaste steuern wollen, müssen wir umdenken: Diesmal soll der Ball an die Stelle wandern, an die wir mit der Maus geklickt haben. Den Zielpunkt berechnen wir wie im letzten Programm, doch nicht sofort. Erst müssen wir uns die alten Werte von x und y irgendwo merken:

```
xStart = x
yStart = y
x = GraphicsWindow.MouseX-25
y = GraphicsWindow.MouseY-25
```

Nun könnten wir den Ball in einer Schleife mit While oder For an diesen Punkt bewegen. Aber warum? Da kann uns doch die Animate-Methode von Shapes einiges an Programmierarbeit abnehmen:

```
Shapes.Animate(Ball, xZiel,yZiel, 2*Diff)
```

Willst du es ganz bequem haben, dann setzt du als letzten Parameter eine Zahl wie z.B. 2000 (für 2 Sekunden Animationszeit) ein. Bist du mehr der Tüftler, der die Zeit an die Strecke anpassen möchte, dann bleibt dir ein bisschen Mathematik nicht erspart. Wir müssen nämlich die »Schräge« ausrechnen, die der Ball zurücklegen soll.

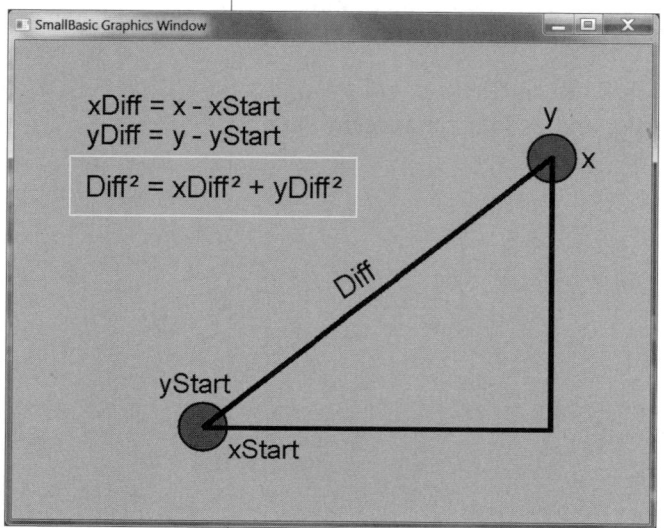

Dazu benötigen wir die Hilfe des Pythagoras – und natürlich einiger Methoden aus der Klasse Math:

```
xQuad = Math.Power(x-xStart,2)
yQuad = Math.Power(y-yStart,2)
Diff  = Math.SquareRoot(xQuad+yQuad)
```

Zuerst werden die Werte der horizontalen und vertikalen Seite eines gedachten Dreiecks quadriert. Das erledigt die Potenzfunktion Power, die als ersten Parameter die Basis, als zweiten den Exponenten übernimmt:

```
Potenz = Power(Basis, Exponent)
'entspricht Basis hoch Exponent
```

Dann wird aus der Summe der beiden Werte die Quadratwurzel gezogen. Dafür ist dann SquareRoot zuständig. Das neue Programm wird nun wieder etwas umfangreicher, aber dafür wandert nun der Ball nach jedem Mausklick gehorsam zur gewünschten Stelle (→ BALL7.SB):

```
GraphicsWindow.Width  = 640
GraphicsWindow.Height = 480
GraphicsWindow.BackgroundColor = "Green"
```

```
GraphicsWindow.BrushColor = "Red"
Ball = Shapes.AddEllipse(50,50)
'Startwerte
x = 300
y = 220
Shapes.Move(Ball, x,y)
'Maus-Ereignis
GraphicsWindow.MouseDown = OnMouseDown
Sub OnMouseDown
  xStart = x
  yStart = y
  x = GraphicsWindow.MouseX-25
  y = GraphicsWindow.MouseY-25
  xQuad = Math.Power(x-xStart,2)
  yQuad = Math.Power(y-yStart,2)
  Diff  = Math.SquareRoot(xQuad+yQuad)
  Shapes.Animate(Ball, x,y, 2*Diff)
EndSub
```

Ball oder Käfer?

Für unsere nächste Programm-Version bleiben wir beim alten Spielfeld, lassen jetzt aber eine echte Figur darüber laufen. Ich habe mich für einen kleinen bunten Käfer entschieden. Du kannst aber auch ein anderes Objekt wie z.B. ein kleines Auto über den Hintergrund fahren lassen (und der wiederum könnte dafür vielleicht eher straßengrau aussehen).

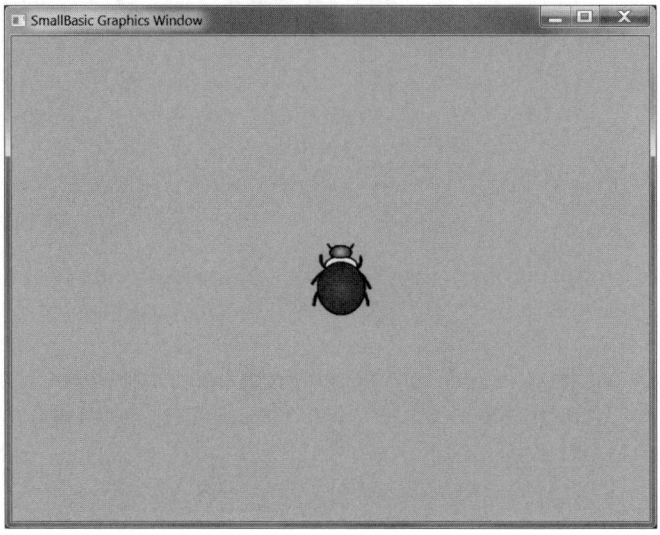

Beginnen wir mit der Version, in der der Käfer mit den Pfeiltasten gesteuert werden soll. Dafür können wir vom Quelltext aus dem Programm BALL5.SB fast alles übernehmen. Schauen wir uns an, was wir ändern müssen. Weil wir jetzt nicht einfach einen Kreis, sondern das Bild von einem Insekt als Grafikobjekt nehmen, bemühen wir hier die Methode AddImage:

```
Pfad = Program.Directory + "\Bilder\"
Figur = Shapes.AddImage(Pfad+"Insekt1.jpg")
Shapes.Zoom(Figur, 0.4,0.4)
```

Das Ganze funktioniert natürlich nur, wenn es einen Ordner BILDER gibt und sich darin eine Bilddatei mit dem passenden Namen befindet. Die Program-Eigenschaft Directory sorgt dafür, dass genau in dem Verzeichnis gesucht wird, in dem sich dein Programm aktuell befindet. (Wenn das nicht klappt, musst du den kompletten Pfad angeben.)

Zusätzlich habe ich die Figur noch etwas zurechtgestutzt, du musst für deine Figur selbst entscheiden, ob du sie im Original haben oder ihre Größe ändern willst. Die Abfrage der vier Pfeiltasten könnte man zunächst so lassen. Was dann aber stört: Der Käfer schaut immer in dieselbe Richtung. Wenn wir das nicht wollen, müssen wir ermitteln, in welche der vier Pfeilrichtungen der Käfer läuft und ihn mit Hilfe der Rotate-Methode dorthin ausrichten.

Aber das ist noch nicht alles. Ich möchte noch, dass der Käfer beim Erreichen des Spielfeldrandes auf der anderen Seite wieder auftaucht. Es gibt also einiges, was beim Drücken einer Pfeiltaste passieren soll. Hier ist alles im Überblick:

LastKey	If	Then	Else
"Left"	x > -100	x = x-xDiff Winkel = -90	x = 540
"Right"	x < 540	x = x+xDiff Winkel = 90	x = -100
"Up"	y > -100	y = y-yDiff Winkel = 0	y = 380
"Down"	y < 380	y = y+yDiff Winkel = 180	y = -100

Das alles bringen wir jetzt in unserem neuen Programm unter, dem wir auch schon einen Namen geben dürfen, der nach einem Spiel klingen könnte (→ BUGGY1.SB):

```
GraphicsWindow.Width  = 640
GraphicsWindow.Height = 480
GraphicsWindow.BackgroundColor = "Green"
Pfad = Program.Directory + "\Bilder\"
Figur = Shapes.AddImage(Pfad+"Insekt1.jpg")
Shapes.Zoom(Figur, 0.4,0.4)
'Startwerte
x = 230
y = 140
xDiff = 10
yDiff = 10
Shapes.Move(Figur, x,y)
'Tasten-Ereignis
GraphicsWindow.KeyDown = OnKeyDown
Sub OnKeyDown
  If GraphicsWindow.LastKey = "Left" Then
    If x > -100 Then
      x = x - xDiff
      Winkel = -90
    Else
      x = 540
    EndIf
  ElseIf GraphicsWindow.LastKey = "Right" Then
    If x < 540 Then
      x = x + xDiff
      Winkel = 90
    Else
      x = -100
    EndIf
  ElseIf GraphicsWindow.LastKey = "Up" Then
    If y > -100 Then
      y = y - yDiff
      Winkel = 0
    Else
      y = 380
    EndIf
  ElseIf GraphicsWindow.LastKey = "Down" Then
    If y < 380 Then
      y = y + yDiff
      Winkel = 180
```

```
    Else
      y = -100
    EndIf
  EndIf
  'Figur drehen und bewegen
  Shapes.Rotate(Figur, Winkel)
  Shapes.Move(Figur, x,y)
EndSub
```

Du denkst wieder daran, dass es ein Bild mit dem Namen gibt, den du in deinem Programm angibst? Und dass auch der Ordnerpfad stimmen muss? (Die Bilder, die ich verwende, findest du im Ordner BILDER, wenn du dir die Buch-Projekte über den Verlags-Link herunterlädst.)

Käfer folgt Maus

Probierst du das Spiel lange genug aus, dann stellst du fest, dass diese Figur keine Grenzen kennt. Allerdings lässt sie sich nur in vier Hauptrichtungen bewegen. Wie wäre es, das Ganze jetzt noch einmal für die Steuerung per Mausklick anzupassen? Die wesentlichen Änderungen betreffen die Ereignisprozedur OnMouseDown.

Der Anfang gleicht noch dem aus BALL7.SB:

```
xStart = x
yStart = y
x = GraphicsWindow.MouseX-100
y = GraphicsWindow.MouseY-100
```

Lediglich die Werte für die Objektgröße musste ich ändern (ausgegangen werden muss vom ungezoomten Objekt).

Nachdem du ja schon einmal mathematisch tätig werden musstest, um die (zum Teil schrägen) Wegstrecken für die Ballbewegung zu berechnen, gilt das Gleiche auch für den Käfer. Die folgenden Zeilen können wir aber direkt übernehmen:

```
xQuad = Math.Power(xDiff,2)
yQuad = Math.Power(yDiff,2)
Diff  = Math.SquareRoot(xQuad+yQuad)
```

Doch jetzt kommt einiges an Mehrarbeit auf uns zu. Damit sich der Käfer immer exakt in die Richtung dreht, in die er laufen soll, brauchen wir einen Winkel, den man hier berechnen muss. Und dabei helfen uns wie-

der die Winkelfunktionen, diesmal sind das aber nicht Sinus oder Kosinus, die wir benötigen, sondern hier geht es um den **Tangens**, den auch die Klasse `Math` mit der Methode `Tan` im Angebot hat.

Zuerst benötigen wir die horizontalen und vertikalen Wegstrecken:

```
xDiff = x - xStart
yDiff = y - yStart
```

Diese Variablen habe ich oben auch schon in die Formeln für den Pythagoras eingesetzt.

Den Tangenswert in unserem (rechtwinkligen) Dreieck berechnet man, indem man die Werte der Senkrechten und Waagerechten dividiert, also:

```
Tangenswert = yDiff / xDiff
```

Was wir aber brauchen, ist der **Winkel** selbst. Es wird also noch etwas kniffliger. Zuerst müssen wir das Ganze umkehren. Aus dem berechneten Tangenswert machen wir über die Methode `ArcTan` einen Wert, den wir in die benötigte Gradzahl umrechnen können:

```
Bogen = Math.ArcTan(yDiff/xDiff)
Winkel = Math.GetDegrees(Bogen)
```

`ArcTan` ist die Umkehrfunktion von `Tan` (es gibt auch `ArcSin` und `ArcCos`). Die liefert uns einen Winkel im Bogenmaß, wir aber wollen wissen, wie viel Grad der betreffende Winkel hat.

Deshalb dient die zweite Zeile der Umrechnung mit Hilfe der Funktion `GetDegrees`. (Wie du dich vielleicht erinnerst, hilft umgekehrt die Funktion `GetRadians` weiter, wenn du vom Grad- zum Bogenmaß kommen willst.)

> Wenn dir das alles zu »hoch« ist, solltest du dir ein Mathebuch oder eine Person schnappen, die sich damit auskennt. Denn für die Spielprogrammierung ist mathematisches Wissen unerlässlich. Vor allem, falls du vorhast, später in die 3D-Programmierung einzusteigen. Da kommt dann noch einiges mehr auf dich zu.

Nachdem der passende Winkel ermittelt wurde, ist noch eine weitere Korrektur nötig. Da sich mit der Tangens-Umkehrfunktion nur Winkelwerte für maximal 90 Grad ergeben, müssen wir noch die horizontale Richtung mit einbeziehen:

```
If xDiff > 0 Then
  Winkel = Winkel + 90
```

```
Else
   Winkel = Winkel - 90
EndIf
```

Nachdem die Mathematik ihren Dienst getan hat, kann die Figur endlich gedreht und bewegt werden:

```
Shapes.Rotate(Figur, Winkel)
Shapes.Animate(Figur, x,y, 2*Diff)
```

Irgendwelche Grenzkontrollen halte ich hier für unnötig, weil die Position des Mauszeigers vorgibt, wie weit der Käfer gehen darf. Und damit kommen wir zum Gesamtprogramm (→ BUGGY2.SB):

```
GraphicsWindow.Width  = 640
GraphicsWindow.Height = 480
GraphicsWindow.BackgroundColor = "Green"
Pfad = Program.Directory + "\Bilder\"
Figur = Shapes.AddImage(Pfad+"Insekt1.jpg")
Shapes.Zoom(Figur, 0.4,0.4)
'Startwerte
x = 230
y = 140
Shapes.Move(Figur, x,y)
'Maus-Ereignis
GraphicsWindow.MouseDown = OnMouseDown
Sub OnMouseDown
  xStart = x
  yStart = y
  x = GraphicsWindow.MouseX-100
  y = GraphicsWindow.MouseY-100
  'Winkel berechnen
  xDiff = x - xStart
  yDiff = y - yStart
  Bogen = Math.ArcTan(yDiff/xDiff)
  Winkel = Math.GetDegrees(Bogen)
  If xDiff > 0 Then
    Winkel = Winkel + 90
  Else
    Winkel = Winkel - 90
  EndIf
  'Strecke berechnen
  xQuad = Math.Power(xDiff,2)
```

```
    yQuad = Math.Power(yDiff,2)
    Diff  = Math.SquareRoot(xQuad+yQuad)
    'Figur drehen und bewegen
    Shapes.Rotate(Figur, Winkel)
    Shapes.Animate(Figur, x,y, 2*Diff)
  EndSub
```

Nun folgt der Käfer jedem deiner Mausklicks, du kannst ihn also regelrecht über das Spielfeld jagen (und wenn du den Zeitparameter für Animate noch niedriger ansetzt (Diff oder gar Diff/2), dann artet es für das arme Insekt zu einer regelrechten Raserei aus.

Maus trifft Käfer

Nun hast du schon einiges zum Spielen, aber noch kein wirkliches Spiel. Deshalb ändern wir jetzt mal die Regeln: Lassen wir doch den Käfer mal frei herumlaufen, ganz wie er will. Und listig wie wir sind, benutzen wir die Maus als »Schlagzeug« und zählen die Treffer.

Damit benötigen wir wieder eine Struktur, die erst einmal dem Käfer in einer Endlos-Schleife erlaubt, sich frei zu bewegen. Wenn man nun die Stellen, an die wir beim letzten Programmbeispiel mit der Maus geklickt haben, per Zufall auswählt, um den Käfer dorthin zu lenken? Wie wäre es damit:

```
x = Math.GetRandomNumber(790)-150
y = Math.GetRandomNumber(630)-150
```

Zwei Zufallswerte für x und y sorgen dafür, dass unser Insekt stets ein neues Ziel bekommt und sich dann auch gleich dorthin auf den Weg macht:

```
Shapes.Rotate(Figur, Winkel)
Shapes.Animate(Figur, x,y, 2*Diff)
Program.Delay(2*Diff)
```

Die letzte Zeile ist wichtig, um sozusagen das Programm mit der Animation zu synchronisieren. Du kannst mit anderen Zeitwerten experimentieren, es spielt sicher auch eine Rolle, welches Bild du einsetzt. Vor allem aber entscheidet die Zeit darüber, wie schwierig es sein wird, den Käfer zu treffen.

Wie erkennt man einen Treffer? Na ja, dann wenn der Mauszeiger sich auf dem Käfer befindet und man die linke Maustaste gedrückt hat, es sozusagen zu einer Kollision zwischen Maus und Käfer gekommen ist.

Deshalb nennt man den folgenden Prozess auch **Kollisionskontrolle**. Entscheidend ist auch hier das Ereignis MouseDown. Dazu gehört dann diese Ereignisprozedur:

```
Sub OnMouseDown
   xx = x - GraphicsWindow.MouseX + 100
   yy = y - GraphicsWindow.MouseY + 100
   If (Math.Abs(xx) < 200) And (Math.Abs(yy) < 200)
Then
      Treffer = Treffer + 1
      GraphicsWindow.Title = Treffer + " Treffer"
   EndIf
EndSub
```

Zwei neue Variablen mit den nicht allzu geistreichen Namen xx und yy erfassen den Abstand zwischen dem Mauszeiger und dem Käfer. Die einen Koordinaten bekommen wir mit MouseX und MouseY. Für die obere linke Ecke des Käferbildes (das ja in Wirklichkeit ein Rechteck ist) haben wir mit x und y die aktuellen Koordinaten. Die Zahl 100 zähle ich hinzu, weil dadurch die Ecke zum Mittelpunkt meines Käfers hin verschoben wird.

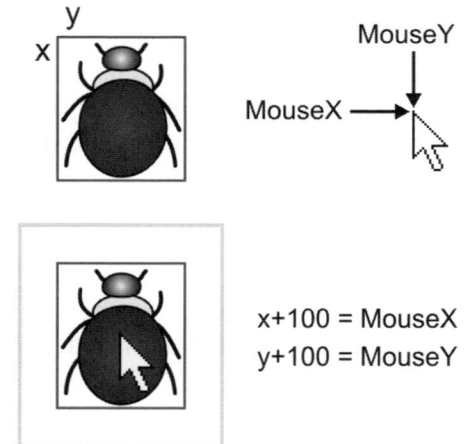

Man könnte also auch sagen: Wenn

```
x + 100 = GraphicsWindow.MouseX
```

und

```
y + 100 = GraphicsWindow.MouseY
```

gilt, dann befindet sich der Mauszeiger ziemlich genau mitten auf dem Rücken des Käfers. Also ein Treffer? Theoretisch, denn praktisch ist dieses Tierchen ständig in Bewegung, also werden die beiden Bedingungen da

oben kaum erfüllbar sein. Hinzu kommt, dass während einer Animations-phase und einer Pause (mit Delay) die Empfänglichkeit für Mausaktio-nen offenbar eingeschränkt ist.

Deshalb brauchen wir einen Spielraum, sagen wir von jeweils 100 Pixeln (oder lieber 200?) für Breite und Höhe. Damit würde es auch genügen, wenn der Mauszeiger recht nah beim Käfer landet.

> Die Zahl, die du verwendest, hängt von den Maßen des Bildes ab, das du für dein grafisches Objekt benutzt. Mein Käferbild ist jeweils 200 Pixel hoch und breit, mit 100 habe ich also jeweils die Hälfte und lande dann mit x+100 bzw. y+100 in der Bildmitte.

Wir bilden also erst einmal die Differenz zwischen den beiden »Kontra-henten« Maus und Käfer. Davon ermitteln wir dann mit Hilfe der Math-Funktion Abs den Absolutwert von xx und yy. Das ist der Wert einer beliebigen Zahl ohne Vorzeichen: Eine positive Zahl bleibt so, wie sie ist, die negative Zahl verliert ihr Minuszeichen.

Warum ist das nötig? Ganz einfach: Je nachdem, wo sich Mauszeiger und Käfer befinden, können xx und yy mal positiv, mal negativ sein. Wir brauchen aber den absoluten Abstand, um zu kontrollieren, ob er kleiner als 100 ist. Dann befindet sich der Mauszeiger in der Trefferzone. Und das wird mitgezählt und oben in der Titelleiste des Grafikfensters angezeigt:

```
If (Math.Abs(xx) < 100) And (Math.Abs(yy) < 100) Then
  Treffer = Treffer + 1
  GraphicsWindow.Title = Treffer + " Treffer"
EndIf
```

Womit wir endlich alles zusammenhaben sollten, was für unser kleines Spielchen nötig ist (→ BUGGY3.SB):

```
GraphicsWindow.Width  = 640
GraphicsWindow.Height = 480
GraphicsWindow.BackgroundColor = "Green"
Pfad = Program.Directory + "\Bilder\"
Figur = Shapes.AddImage(Pfad+"Insekt1.jpg")
Shapes.Zoom(Figur, 0.4,0.4)
'Startwerte
x = 230
y = 140
Treffer = 0
Shapes.Move(Figur, x,y)
```

```
'Maus-Ereignis
GraphicsWindow.MouseDown = OnMouseDown
Sub OnMouseDown
  xx = x - GraphicsWindow.MouseX + 100
  yy = y - GraphicsWindow.MouseY + 100
  If (Math.Abs(xx) < 100) And (Math.Abs(yy) < 100) Then
    Treffer = Treffer + 1
    GraphicsWindow.Title = Treffer + " Treffer"
  EndIf
EndSub
'Endlos-Schleife
While 1 = 1
  xStart = x
  yStart = y
  x = Math.GetRandomNumber(690)-150
  y = Math.GetRandomNumber(530)-150
  'Winkel berechnen
  xDiff = x - xStart
  yDiff = y - yStart
  Bogen = Math.ArcTan(yDiff/xDiff)
  Winkel = Math.GetDegrees(Bogen)
  If xDiff > 0 Then
    Winkel = Winkel + 90
  Else
    Winkel = Winkel - 90
  EndIf
  'Strecke berechnen
  xQuad = Math.Power(xDiff,2)
  yQuad = Math.Power(yDiff,2)
  Diff  = Math.SquareRoot(xQuad+yQuad)
  'Figur drehen und bewegen
  Shapes.Rotate(Figur, Winkel)
  Shapes.Animate(Figur, x,y, 2*Diff)
  Program.Delay(2*Diff)
EndWhile
```

Und nun bist du an der Reihe. Nach dem Eintippen solltest du mit den Zahlen für die Zufallswerte (GetRandomNumber), die Grenzwerte für den Kollisionsbereich (xx, yy) und den Faktor für die Zeit (Diff) experimentieren, bis das Spielchen für deinen Geschmack passt. Mach es dir nicht zu leicht und ärgere dich nicht, wenn du anscheinend triffst, es aber aus der Sicht des Programms (oder Käfers?) danebengegangen ist.

Zusammenfassung

Zeit zum Innehalten. Einiges über die Mathematik, die offenbar auch beim Programmieren nötig ist, hast du mitbekommen. Ein kleines Spiel war das Ergebnis dieses Kapitels. Und hier sind die Wörter, die du in deinen Programmier-Wortschatz aufnehmen kannst. Da wären zunächst einige weitere Methoden der Klasse Math:

Power	Potenz aus Basis und Exponent
SquareRoot	Quadratwurzel einer Zahl
Abs	Absolutwert einer Zahl
Tan	mathematische Winkelfunktion
ActTan	Umkehrfunktion zum Tangens

Auch die Klasse GraphicsWindow hat hier noch ein paar Eigenschaften beigesteuert:

LastKey	Name der (zuletzt) gedrückten Taste (Tastatur)
MouseX	x-Koordinate der Position des Mauszeigers
MouseY	y-Koordinate der Position des Mauszeigers

Dazu hat Shapes eine neue Methode und Program eine weitere Eigenschaft hinterlassen:

AddImage	ein Bild (aus einer Datei) als Objekt aufnehmen
Directory	aktueller Programm-Ordner

Ein paar Fragen ...

1. Ich brauche für ein Programm die Tastensteuerung mit ⇧, Strg und Alt. Wie heißen die Key-Namen?

2. Was versteht man hier unter Kollision und wie funktioniert die Kontrolle?

8

... und ein paar Aufgaben

1. Erweitere das Projekt BUGGY1.SB um die Abfrage der ⌜Esc⌝-Taste, um so das Spiel beenden zu können.

2. Ergänze eines der Programme um die Funktionen der ⌜↵⌝-Taste für das Neusetzen des Balls (oder Käfers) in der Spielfeldmitte und der Leertaste für eine 180-Grad-Drehung des Objekts.

3. Das letzte Spiel soll alle Mausklicks zählen und nach 100 Versuchen das Spiel beenden.

9
Prozeduren

Unsere bisherigen Programme waren überschaubar groß – oder klein genug, um sie komplett im Blick zu haben. Allerdings waren die meisten Projekte auch nicht allzu anspruchsvoll. Mit höheren Anforderungen jedoch kann der Umfang von Quelltexten schon mal kräftig wachsen. Damit erhöht sich auch die Gefahr, die Übersicht zu verlieren. Untergliedert man ein größeres Programm in Abschnitte, so gewinnt das Ganze wieder an Überschaubarkeit.

In diesem Kapitel lernst du

◎ mehr über Unterprogramme

◎ wie man eigene Prozeduren einsetzt

◎ mehr über Kollisionskontrolle

◎ wie man ein Spiel angemessen beenden kann

◎ etwas über Timer

9

Teilstücke

Nehmen wir gleich unser letztes Projekt, das kleine Spiel mit der Käfer-
jagd. Das bestand aus folgenden Teilen:

```
Spielfeld einrichten
Startwerte setzen
Mausereignisse auswerten
Spielen
```

Wie wenden wir diese Erkenntnis auf unser Programm an? Nun, einen
Hinweis findest du bereits im Programm, dort hatten wir ja eine Ereignisprozedur vereinbart, die in Aktion tritt, sobald eine Maustaste gedrückt
wird:

```
GraphicsWindow.MouseDown = OnMouseDown
Sub OnMouseDown
  'hier steht, was bei einem Mausklick passiert
EndSub
```

Bisher kannten wir solche Prozeduren nur als Hilfsmittel für das Behan-
deln von Ereignissen. Doch mit Sub und EndSub lassen sich auch Prozeduren erstellen, mit denen man ein Programm in leicht verdauliche
Häppchen aufteilen kann. Schauen wir uns die erste Prozedur für unser
Spiel an (→ BUGGY4.SB):

```
Sub Spielfeld_einrichten
   GraphicsWindow.Width  = 640
   GraphicsWindow.Height = 480
   GraphicsWindow.BackgroundColor = "Green"
   Pfad = Program.Directory + "\Bilder\"
   Figur = Shapes.AddImage(Pfad+"Insekt1.jpg")
   Shapes.Zoom(Figur, 0.4,0.4)
EndSub
```

Ich habe in den Namen einen Unterstrich eingefügt, um die zwei Wörter
Spielfeld und einrichten zu verbinden, nun ist es für Small Basic
ein Wort.

Was die Namensgebung angeht: Für Ereignisprozeduren habe ich die
Namen an die Ereignisse angepasst, also auch Englisch gelassen. Für
meine eigenen Schöpfungen benutze ich hier deutsche Namen. Du
kannst natürlich für dich überall auch eigene englische verwenden.
Achte aber darauf, dass du dabei nicht aus Versehen einen Namen
aus dem Wortschatz von Small Basic verwendest.

Die nächste Prozedur ist für die Startwerte zuständig (sie wurde hier um eine Variable erweitert, die die Mausklicks mitzählt):

```
Sub Startwerte_setzen
  x = 230
  y = 140
  Klicks = 100
  Treffer = 0
  Shapes.Move(Figur, x,y)
EndSub
```

Die Ereignisprozedur haben wir schon, also kann das Spiel beginnen. Aber wie binden wir die Prozeduren in das Programm ein? Man kann doch nicht einfach nur einige Abschnitte mit Sub und EndSub einklammern und das war's dann? Stimmt, denn Prozeduren funktionieren nur, wenn sie auch **aufgerufen** werden. Im Falle von OnMouseDown wird diese Prozedur über eine Zuweisung an ein Ereignis gekoppelt, das dann die Prozedur aufruft.

Hier müssen wir anders verfahren. Wir führen einfach die einzelnen Namen der Prozeduren auf, so wie wir es auch z. B. bei Move oder einer Draw-Methode getan haben (nur ohne einen vorgeschalteten Klassennamen):

```
Spielfeld_einrichten()
Startwerte_setzen()
GraphicsWindow.MouseDown = OnMouseDown
Spiel_Schleife()
```

Das ist vom Hauptprogramm übrig geblieben. Wobei ich auf die letzte Prozedur noch kommen werde.

> Wichtig ist, dass alle Prozeduren mit abschließenden **leeren Klammern** versehen sein müssen. Nur so kann Small Basic den Namen einer Prozedur von dem einer Variablen unterscheiden.
>
> Ausnahme ist eine Ereignisprozedur: Während bei normalen Zuweisungen Variablen im Spiel sind, kann einem Ereignis nur der Name einer Prozedur zugewiesen werden. Weil das eindeutig ist, werden die Klammern hier weggelassen.

Was passiert nun in unserem (neuen) Programm? Sobald der Name einer Prozedur (mit Klammern) genannt wird, sucht der PC die Stelle, an der die

Sub-Vereinbarung der gleichnamigen Prozedur beginnt. Dann führt er alle Anweisungen aus, die er bis zum abschließenden EndSub finden kann, und kehrt ins Hauptprogramm zurück. Und so macht er es mit allen anderen Prozeduren, bis das Programm am Ende ist:

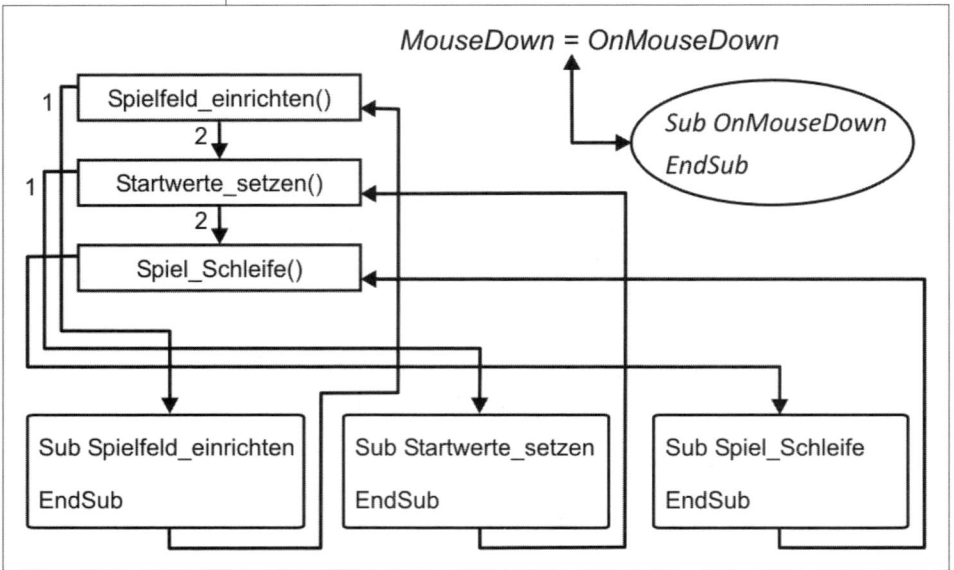

Die Ereignisprozedur nimmt eine Sonderrolle ein, sie kann jederzeit aufgerufen werden, wenn das damit verbundene Ereignis eintritt (also hier: eine Maustaste gedrückt wird).

Die Spielschleife

Wenden wir uns nun der Prozedur zu, die den Kern unseres Spiels ausmacht (mal abgesehen von der Ereignisprozedur). Das ist sie (→ BUGGY4.SB):

```
Sub Spiel_Schleife
  While 1 = 1
   If Klicks <= 0 Then
     Spiel_Ende()
   EndIf
   Position_bestimmen()
   Winkel_berechnen()
   Strecke_berechnen()
   'Figur drehen und bewegen
```

```
      Shapes.Rotate(Figur, Winkel)
      Shapes.Animate(Figur, x,y, 2*Diff)
      Program.Delay(2*Diff)
   EndWhile
EndSub
```

Sieht ja erstaunlich kurz aus, oder? Doch wenn du genau hinschaust, siehst du, wo ich gemogelt habe. Da tauchen ja drei neue Namen auf, weil ich eine ganze Reihe von Anweisungen in ein paar weitere Prozeduren ausgelagert habe. Wenn man will, könnte man die auch Unterprozeduren nennen. Was heißt: Man kann auch innerhalb einer eigenen Prozedur weitere selbstvereinbarte Prozeduren einsetzen.

Da sieht ohnehin einiges etwas anders aus als in dem Beispiel, das du im letzten Kapitel kennen gelernt hast. Was hat es mit den Klicks auf sich? Das bedeutet hier einfach: Wenn du 100-mal versucht hast, auf den Käfer zu klicken, ist das Spiel beendet. Natürlich nicht einfach so, sondern man soll ja als Spieler auch etwas zu sehen bekommen. Dafür ist die Prozedur Spiel_Ende da:

```
Sub Spiel_Ende
   Shapes.HideShape(Figur)
   GraphicsWindow.BackgroundColor = "Yellow"
   GraphicsWindow.FontSize = 48
   GraphicsWindow.DrawText(200,200, "Game over")
   Program.Delay(2000)
   Program.End()
EndSub
```

Zuerst wird die Figur (also der Käfer) mit HideShape unsichtbar gemacht. ShowShape würde sie wieder herbeizaubern. Dann wird der Hintergrund in ein grelles Gelb getaucht, die Schriftgröße ordentlich erhöht, damit der folgende Text »Game over« auch klar zu erkennen ist. Mit DrawText wird dann das Ende des Spiels für 2 Sekunden (Delay) angekündigt. Dann ist es vorbei (End).

Der Inhalt der anderen Zusatzprozeduren dürfte dir bekannt vorkommen: In Position_bestimmen merkt sich der PC die alte Position des Käfers, ehe er eine zufällige neue bestimmt, in Winkel_berechnen ermittelt er mit Hilfe von ArcTan und Pi den Richtungswinkel, und in Strecke_berechnen kommt Pythagoras zum Einsatz. (Alles siehst du gleich weiter hinten im kompletten Quelltext.)

Eine kleine Änderung betrifft die Ereignisprozedur. Dort ändert sich der Quelltext für die Anzeige in der Titelleiste des Grafikfensters so:

```
Klicks = Klicks - 1
Text1 = "Noch " + Klicks + " Mausklicks - "
Text2 = Treffer + " Treffer"
GraphicsWindow.Title = Text1 + Text2
```

Alles zusammen

Und damit kommen wir endlich zum Gesamtprogramm, das durch die Sub-Strukturen nicht kürzer, aber übersichtlicher geworden ist (→ BUGGY4.SB):

```
'Hauptprogramm
Spielfeld_einrichten()
Startwerte_setzen()
GraphicsWindow.MouseDown = OnMouseDown
Spiel_Schleife()

Sub OnMouseDown
  Klicks = Klicks - 1
  Text1 = "Noch " + Klicks + " Mausklicks - "
  Text2 = Treffer + " Treffer"
  GraphicsWindow.Title = Text1 + Text2
  xx = x - GraphicsWindow.MouseX + 100
  yy = y - GraphicsWindow.MouseY + 100
  If (Math.Abs(xx) < 100) And (Math.Abs(yy) < 100) Then
    Treffer = Treffer + 1
  EndIf
EndSub

Sub Spielfeld_einrichten
  GraphicsWindow.Width  = 640
  GraphicsWindow.Height = 480
  GraphicsWindow.BackgroundColor = "Green"
  Pfad = Program.Directory + "\Bilder\"
  Figur = Shapes.AddImage(Pfad+"Insekt1.jpg")
  Shapes.Zoom(Figur, 0.4,0.4)
EndSub

Sub Startwerte_setzen
  x = 230
  y = 140
```

Alles zusammen

```
    Klicks = 100
    Treffer = 0
    Shapes.Move(Figur, x,y)
EndSub


Sub Spiel_Schleife
  While 1 = 1
    If Klicks <= 0 Then
        Spiel_Ende()
      EndIf
      Position_bestimmen()
      Winkel_berechnen()
      Strecke_berechnen()
      'Figur drehen und bewegen
      Shapes.Rotate(Figur, Winkel)
      Shapes.Animate(Figur, x,y, 2*Diff)
      Program.Delay(2*Diff)
  EndWhile
EndSub


Sub Spiel_Ende
  Shapes.HideShape(Figur)
  GraphicsWindow.BackgroundColor = "Yellow"
  GraphicsWindow.FontSize = 48
  GraphicsWindow.DrawText(200,200, "Game over")
  Program.Delay(2000)
  Program.End()
EndSub


Sub Position_bestimmen
  xStart = x
  yStart = y
  x = Math.GetRandomNumber(690)-150
  y = Math.GetRandomNumber(530)-150
EndSub


Sub Winkel_berechnen
  xDiff = x - xStart
  yDiff = y - yStart
  Bogen = Math.ArcTan(yDiff/xDiff)
```

```
    Winkel = Math.GetDegrees(Bogen)
    If xDiff > 0 Then
       Winkel = Winkel + 90
    Else
       Winkel = Winkel - 90
    EndIf
EndSub


Sub Strecke_berechnen
  xQuad = Math.Power(xDiff,2)
  yQuad = Math.Power(yDiff,2)
  Diff  = Math.SquareRoot(xQuad+yQuad)
EndSub
```

Und nun versuche, den Käfer zu erwischen. Ärgere dich nicht, wenn dir kein Treffer gelingt, obwohl du dir sicher bist, getroffen zu haben. Die Ereignisse in Small Basic laufen nun mal so.

Die Sache mit dem Timer

Eine Variante dieses Spiel sollst du noch kennen lernen, bei der wir auf eine Endlos-Schleife verzichten können. Mit Timer bietet Small Basic eine Klasse für Prozesse, die sich regelmäßig wiederholen (und das kann auch endlos sein). Das Hauptprogramm des letzten Beispiels ändert sich dadurch ein wenig:

```
Spielfeld_einrichten()
Startwerte_setzen()
GraphicsWindow.MouseDown = OnMouseDown
Timer.Interval = 100
Timer.Tick = OnTime
```

Neu sind die letzten beiden Zeilen. In denen legen wir zuerst über Interval fest, in welchem Abstand die zugehörige Ereignisprozedur aufgerufen werden soll. Hier sind es 100 Millisekunden. Das Ereignis Tick wird dann einer Prozedur zugewiesen, die ich OnTime nenne. Und so wird sie vereinbart (→ BUGGY5.SB):

```
Sub OnTime
  If Klicks <= 0 Then
     Spiel_Ende()
  EndIf
```

```
    Position_bestimmen()
    Winkel_berechnen()
    Strecke_berechnen()
    Timer.Interval = 2*Diff
    Shapes.Rotate(Figur, Winkel)
    Shapes.Animate(Figur, x,y, 2*Diff)
    Program.Delay(2*Diff)
  EndSub
```

Warte mal, wirst du sagen, das kenn' ich doch. Ja genau, das ist der Inhalt der Endlos-Schleife. Das Ganze wird nun statt mit While-EndWhile über Sub-EndSub eingeklammert.

Eine Zeile allerdings ist neu: Auch das Timer-Intervall sollte sich der Strecke anpassen, die der Käfer zu laufen hat:

```
Timer.Interval = 2*Diff
```

Die Prozedur Spiel_Schleife wird nun komplett durch OnTimer ersetzt. Alles andere bleibt erhalten, also kann ich mir ersparen, das gesamte Programm hier erneut aufzulisten.

Schlag den Ball

Ich möchte jetzt noch einmal eines der ersten Programme herauskramen, in dem ein roter Ball über ein grünes Spielfeld gejagt wird. Daraus machen wir jetzt ein kleines Spiel, bei dem auch Punkte gesammelt werden können. Dazu benötigen wir ein weiteres grafisches Objekt:

```
Pad = Shapes.AddRectangle(20,100)
```

Mit Pad meine ich einfach ein Rechteck (dem ich die Farbe Gelb geben möchte). Das positionieren wir ganz rechts an den Rand des Spielfeldes:

```
z = 180
zDiff = 25
Shapes.Move(Pad, 620,z)
```

Damit haben wir auch schon eine weitere Variable z, mit deren Hilfe wir unser »Pad« (oder Schläger oder Schlagbrett) senkrecht auf- und abbewegen. Die x-Koordinate ist immerzu dieselbe, weil das Pad ja am Spielfeldrand bleibt.

Zur Steuerung unseres Ballschlägers verwenden wir die beiden Pfeiltasten für rauf (Up) und runter (Down), womit unsere Ereignisroutine so aussieht (→ PADDY1.SB):

```
Sub OnKeyDown
   If GraphicsWindow.LastKey = "Up" Then
     If z > 0 Then
       z = z - zDiff
     EndIf
   ElseIf GraphicsWindow.LastKey = "Down" Then
     If z < 380 Then
       z = z + zDiff
     EndIf
   EndIf
   Shapes.Move(Pad, 620,z)
EndSub
```

Nun würde das erweiterte Programm schon laufen. Der rote Ball stürmt eilig über das grüne Feld, und ein einsamer Balken am Rand wandert auf Tastendruck nicht allzu schnell auf- oder abwärts. Dabei nehmen beide keinerlei Notiz voneinander. Das ändert sich, wenn wir unsere Prozedur für eine Kollisionskontrolle einsetzen:

```
Sub Kollisions_Kontrolle
   If (x > 560) And (y > z-50) And (y < z+100) Then
     xDiff = -xDiff
     x = x + xDiff
     Treffer = Treffer + 1
     GraphicsWindow.Title = Treffer + " Treffer"
   EndIf
EndSub
```

Sieht etwas anders aus als bei der Kollision von Käfer und Maus? Auch dort hätten wir die Bedingungen für den Bereich, in dem eine Begegnung (= Kollision) zwischen Mauszeiger und Käferrechteck stattfindet, so vereinbaren können:

```
xx = GraphicsWindow.MouseX
yy = GraphicsWindow.MouseY
If (xx > x-50) And (xx < x+150) And (yy > y-50) And
(yy < y+150) Then
  Treffer = Treffer + 1
  GraphicsWindow.Title = Treffer + " Treffer"
EndIf
```

Die Verwendung von xx und yy wäre eigentlich nicht nötig, aber dann würde die If-Zeile fast endlos lang geworden sein. (Es müssen ja alle vier Bedingungen in einer **einzigen** Zeile untergebracht werden!)

Hier wird überprüft, ob xx zwischen x-50 und x+150 liegt (x ist der linke Eckwert für die Käferposition). Außerdem wird kontrolliert, ob sich yy zwischen y-50 und y+150 befindet. Voraussetzung dafür ist, dass es sich beim Kollisionsbereich um ein Quadrat mit jeweils 200 Pixeln Seitenlänge handelt.

Bei dem Pad, mit dem wir in unserem neuen Spiel den Ball abfangen wollen, spielt der x-Wert keine solche Rolle, weil der Schläger bzw. das Schlagbrett ja nicht völlig frei beweglich, sondern auf den rechten Spielfeldrand beschränkt ist.

Für x brauchen wir also nur eine Kontrolle. Mit

```
x > 560   'x-Position Brett
```

überprüfen wir, ob der Ball den (linken) Schlägerrand berührt. Und mit

```
(y > z-50) And (y < z+100)
```

wird ermittelt, ob sich Ball und Schläger in etwa auf einer Höhe befinden. (Dabei kannst du selbst diesen Spielraum erweitern oder auch enger setzen.)

Eigentlich müsste es heißen:
```
(y+Ball_Hoehe > z) And (y < z+Brett_Hoehe)
```
Ich habe es mir leichter gemacht, indem ich auch hier einfach die Werte direkt eingesetzt habe. Was heißt: Wenn du die Größe deiner Spielobjekte änderst, musst du auch diese Werte anpassen.

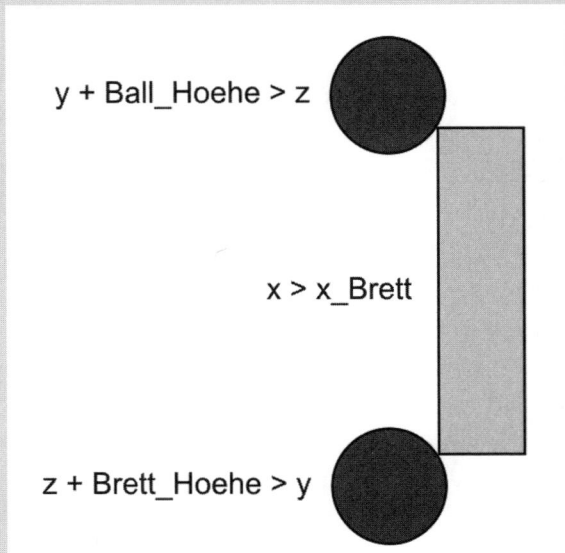

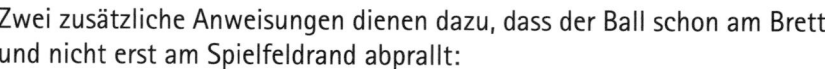

Zwei zusätzliche Anweisungen dienen dazu, dass der Ball schon am Brett und nicht erst am Spielfeldrand abprallt:

```
xDiff = -xDiff
x = x + xDiff
```

Damit du das Spiel möglichst bald ausprobieren (und verbessern und erweitern) kannst, folgt jetzt der komplette Quelltext (→ PADDY1.SB):

```
'Hauptprogramm
Spielfeld_einrichten()
Startwerte_setzen()
GraphicsWindow.KeyDown = OnKeyDown
Spiel_Schleife()


Sub OnKeyDown
  If GraphicsWindow.LastKey = "Up" Then
    If z > 0 Then
      z = z - zDiff
    EndIf
  ElseIf GraphicsWindow.LastKey = "Down" Then
    If z < 380 Then
      z = z + zDiff
    EndIf
  EndIf
  Shapes.Move(Pad, 620,z)
EndSub


Sub Spielfeld_einrichten
  GraphicsWindow.Width  = 640
  GraphicsWindow.Height = 480
  GraphicsWindow.BackgroundColor = "Green"
  GraphicsWindow.PenColor = "White"
  GraphicsWindow.DrawLine(320,0, 320,480)
  GraphicsWindow.PenColor = "Black"
  GraphicsWindow.BrushColor = "Red"
  Ball = Shapes.AddEllipse(50,50)
  GraphicsWindow.BrushColor = "Yellow"
  Pad  = Shapes.AddRectangle(20,100)
EndSub
```

```
Sub Startwerte_setzen
  x = 300
  y = 220
  z = 180
  xDiff = 15
  yDiff = 10
  zDiff = 25
  Shapes.Move(Pad, 620,z)
EndSub


Sub Spiel_Schleife
  While 1 = 1
    Rand_Kontrolle()
    x = x + xDiff
    y = y + yDiff
    Shapes.Move(Ball, x,y)
    Program.Delay(30)
    Kollisions_Kontrolle()
  EndWhile
EndSub


Sub Rand_Kontrolle
  If (x < 5) Or (x > 580) Then
    xDiff = -xDiff
  EndIf
  If (y < 5) Or (y > 420) Then
    yDiff = -yDiff
  EndIf
EndSub


Sub Kollisions_Kontrolle
  If (x > 560) And (y > z-50) And (y < z+100) Then
    xDiff = -xDiff
    x = x + xDiff
    Treffer = Treffer + 1
    GraphicsWindow.Title = Treffer + " Treffer"
  EndIf
EndSub
```

Zusammenfassung

Nun hast du es geschafft, zwei Spiele zu programmieren. Zur Gilde der Profis bist du damit zwar noch nicht aufgestiegen, aber du kannst schon einiges vorweisen. Und darauf darfst du dir was einbilden.

Erst einmal kennst du eine weitere Klasse von Small Basic, sie arbeitet mit der Zeit:

Timer	Klasse für regelmäßige Wiederholungen
Tick	Zeitintervall ist abgelaufen
Interval	Intervall zwischen zwei »Ticks« in Millisekunden

Außerdem sind quasi nebenbei zwei weitere Methoden von Shapes aufgetaucht:

HideShape	Objekt unsichtbar machen/verbergen
ShowShape	Objekt sichtbar machen/anzeigen

Ein paar Fragen ...

1. Wie werden Prozeduren vereinbart und wie werden sie aktiviert?

2. Was ändert sich in einem Programm, das in Prozeduren gegliedert ist?

3. Wie unterscheidet sich das Ereignis Tick von den Tasten- und Mausereignissen?

... und ein paar Aufgaben

1. Erweitere das Spielprojekt mit Maus und Käfer um die Möglichkeit, das Spiel mit der Taste Esc zu beenden und mit der ↵-Taste den Vorrat an Mausklicks wieder aufzufüllen.

2. Ergänze auch das letzte Spiel (mit Pad und Ball) um die Möglichkeit, es mit Stil zu beenden.

3. Ersetze im Paddy-Programm die Endlos-Schleife durch eine Timer-Prozedur.

10

Sound, Clock und Timer

Es gibt immer etwas zu verbessern und zu verfeinern, vor allem bei Programmen. Man braucht nur die richtigen Zutaten, und schon kann aus einem guten Projekt ein besseres werden. Hier würzen wir einige unserer bisherigen Programme mit etwas Sound, außerdem gibt es natürlich auch ein neues Spielprojekt.

In diesem Kapitel lernst du

◎ wie man Geräusche und Musik in einem Programm einsetzt

◎ ein paar Eigenschaften der Klasse `Clock` kennen

◎ mehr über den Umgang mit der Zeit

◎ mehr über Kollisionskontrolle

◎ ein anderes Spiel-Ende kennen

Treffer mit Sound

Nehmen wir uns gleich das letzte Spiel mit dem Pad (oder Paddle) vor und sorgen dafür, dass bei jedem Treffer ein Geräusch verursacht wird. Das geht ganz einfach, nur das Hinzufügen einer einzigen Zeile ist nötig, und zwar in der Kollisionskontrolle (→ PADDY3.SB):

```
Sub Kollisions_Kontrolle
  If (x > 560) And (y > z-50) And (y < z+100) Then
    xDiff = -xDiff
    x = x + xDiff
    Treffer = Treffer + 1
    GraphicsWindow.Title = Treffer + " Treffer"
    Sound.PlayClick()
  EndIf
EndSub
```

Die Klasse Sound bietet mit der Methode Play die Möglichkeit, Sounds wie z.B. MP3-Dateien abzuspielen. Darüber hinaus bietet diese Klasse ein paar Vorratsgeräusche. Eines davon habe ich mit PlayClick hier verwendet, weil es ganz gut zum Klacken eines Ballschlägers passt. Schau mit Hilfe von **IntelliSense** nach, was es sonst noch gibt, und probier selber aus, welches Geräusch dir am besten passt.

IntelliSense, was war das nochmal? Na, das kleine Hilfsfeld, das dir ständig beim Eingeben deines Programmtextes auf den Fersen ist, aus meiner Sicht meistens hilfreich, doch hin und wieder auch mal lästig.

Sound.

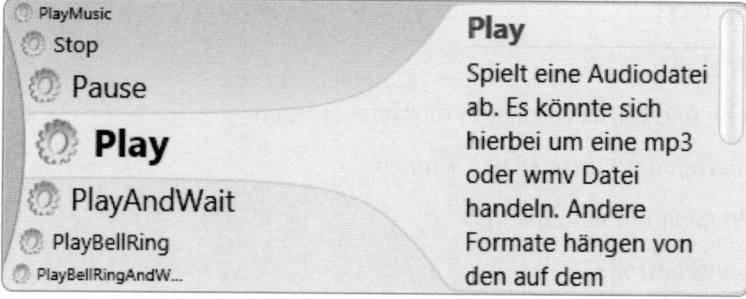

Wenn du zusätzlich während des Spiels deine aktuelle Lieblingsmusik hören willst, lässt die sich so einbinden:

```
Sound.Play(Pfad+"Sounds.mp3")
```

Bloß, an welcher Stelle? Egal, ob du im Programm die Endlos-Schleife oder einen Timer verwendest, diese Anweisung gehört nicht in die While-Struktur oder die Ereignisprozedur OnTimer, weil sie sonst ständig neu aufgerufen wird. Am besten, du platzierst sie in der Prozedur Startwerte_setzen.

Spiel mit Timing

Wo wir schon dabei sind, könnten wir doch gleich auch eine zeitliche Begrenzung in das Spiel einbauen, sagen wir für den Anfang eine Minute? Dazu brauchen wir den Timer und eine Ereignisprozedur:

```
Sub OnTime
  If Zeit > 0 Then
    Zeit = Zeit - Timer.Interval/1000
    Text1 = "Noch " + Zeit + " Sek. "
    GraphicsWindow.Title = Text1 + Text2
  Else
    Spiel_Ende()
  EndIf
  Rand_Kontrolle()
  x = x + xDiff
  y = y + yDiff
  Shapes.Move(Ball, x,y)
  Program.Delay(30)
  Kollisions_Kontrolle()
EndSub
```

In der Prozedur Kollisions_Kontrolle ändert sich die Zeile

```
GraphicsWindow.Title = Treffer + " Treffer"
```

in diese beiden:

```
Text2 = Treffer + " Treffer"
GraphicsWindow.Title = Text1 + Text2
```

Nehmen wir noch die Prozedur Spiel_Ende hinzu, dann hätten wir schon alles zusammen. Und wenn du den folgenden Quelltext bei deinem Spiel angepasst hast, bleibt dir eine Minute Spielzeit – es sei denn, du änderst den Wert von Zeit (→ PADDY3.SB):

```
'Hauptprogramm
Spielfeld_einrichten()
Startwerte_setzen()
GraphicsWindow.KeyDown = OnKeyDown
Timer.Interval = 30
Timer.Tick = OnTime


Sub OnKeyDown
```

```
      If GraphicsWindow.LastKey = "Up" Then
        If z > 0 Then
          z = z - zDiff
        EndIf
      ElseIf GraphicsWindow.LastKey = "Down" Then
        If z < 380 Then
          z = z + zDiff
        EndIf
      EndIf
      'Objekt bewegen
      Shapes.Move(Pad, 620,z)
    EndSub


    Sub OnTime
      if Zeit > 0 Then
        Zeit = Zeit - Timer.Interval/1000
        Text1 = "Noch " + Zeit + " Sek. "
        GraphicsWindow.Title = Text1 + Text2
      Else
        Spiel_Ende()
      EndIf
      Rand_Kontrolle()
      x = x + xDiff
      y = y + yDiff
      Shapes.Move(Ball, x,y)
      Program.Delay(30)
      Kollisions_Kontrolle()
    EndSub


    Sub Spielfeld_einrichten
      GraphicsWindow.Width  = 640
      GraphicsWindow.Height = 480
      GraphicsWindow.BackgroundColor = "Green"
      GraphicsWindow.PenColor = "White"
      GraphicsWindow.DrawLine(320,0, 320,480)
      GraphicsWindow.PenColor = "Black"
      GraphicsWindow.BrushColor = "Red"
      Ball = Shapes.AddEllipse(50,50)
      GraphicsWindow.BrushColor = "Yellow"
      Pad  = Shapes.AddRectangle(20,100)
```

```
    Pfad = Program.Directory + "\Musik\"
EndSub


Sub Startwerte_setzen
  x = 300
  y = 220
  z = 180
  xDiff = 15
  yDiff = 10
  zDiff = 25
  Zeit = 60
  Shapes.Move(Pad, 620,z)
  Sound.Play(Pfad+"Sound1.mp3")
EndSub


Sub Spiel_Ende
  Shapes.HideShape(Ball)
  Shapes.HideShape(Pad)
  GraphicsWindow.BackgroundColor = "Yellow"
  GraphicsWindow.FontSize = 48
  GraphicsWindow.DrawText(200,200, "Game over")
  Program.Delay(2000)
  Program.End()
EndSub


Sub Rand_Kontrolle
  If (x < 5) Or (x > 580) Then
    xDiff = -xDiff
  EndIf
  If (y < 5) Or (y > 420) Then
    yDiff = -yDiff
  EndIf
EndSub


Sub Kollisions_Kontrolle
  If (x > 560) And (y > z-50) And (y < z+100) Then
    xDiff = -xDiff
    x = x + xDiff
    Treffer = Treffer + 1
    Text2 = Treffer + " Treffer"
```

```
      GraphicsWindow.Title = Text1 + Text2
      Sound.PlayClick()
    EndIf
  EndSub
```

Eine zeitliche Begrenzung könnten wir auch dem Spiel mit dem Käfer spendieren, dann werden nicht die Mausklicks, sondern die Sekunden gezählt. Dazu nehmen wir die letzte Version als Basis, in der der Timer bereits eingesetzt wird. Dann gibt es in zwei Prozeduren Änderungen, aber nur geringfügige (→ BUGGY6.SB):

```
Sub OnMouseDown
  Text2 = Treffer + " Treffer"
  GraphicsWindow.Title = Text1 + Text2
  xx = x - GraphicsWindow.MouseX + 100
  yy = y - GraphicsWindow.MouseY + 100
  If (Math.Abs(xx) < 100) And (Math.Abs(yy) < 100) Then
    Treffer = Treffer + 1
  EndIf
EndSub


Sub OnTime
  Zeit = Zeit - Math.Round(Timer.Interval/1000)
  Text1 = "Noch " + Zeit + " Sek. "
  GraphicsWindow.Title = Text1 + Text2
  If Zeit <= 0 Then
    Spiel_Ende()
  EndIf
  Position_bestimmen()
  Winkel_berechnen()
  Strecke_berechnen()
  Timer.Interval = 2*Diff
  'Figur drehen und bewegen
  Shapes.Rotate(Figur, Winkel)
  Shapes.Animate(Figur, x,y, 2*Diff)
  Program.Delay(2*Diff)
EndSub
```

Die Variable Klicks benötigen wir nicht mehr, dafür brauchen wir auch hier eine Variable Zeit. Und damit die angezeigt wird, ändern sich die Zeilen, die für den passenden Fenstertitel sorgen:

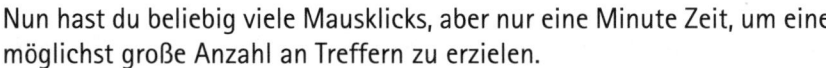

```
Zeit = Zeit - Math.Round(Timer.Interval/1000)
Text1 = "Noch " + Zeit + " Sek. "
GraphicsWindow.Title = Text1 + Text2
```

Nun hast du beliebig viele Mausklicks, aber nur eine Minute Zeit, um eine möglichst große Anzahl an Treffern zu erzielen.

Zeit und Datum

Wenn es die Klasse Timer nicht gäbe, wären wir meist auch mit einer While-Schleife zurechtgekommen. Aber dann hätten wir doch die Zeit nicht anzeigen können, oder? Mal sehen, was die Klasse Clock so anzubieten hat.

Dazu greifen wir zuerst auf eine frühere Fassung unseres Buggy-Programms zurück, in der wir noch die Endlos-Schleife genutzt haben, und ergänzen dort zwei Prozeduren um ein paar Zuweisungen (→ BUGGY7.SB):

```
Sub Startwerte_setzen
  x = 230
  y = 140
  Treffer = 0
  Shapes.Move(Figur, x,y)
  Start = Clock.ElapsedMilliseconds
EndSub


Sub Spiel_Schleife
  While "True"
    Text1 = Clock.Date + " " + Clock.Time
    Zeit = Clock.ElapsedMilliseconds
    Zeit = 60 - Math.Round((Zeit-Start)/1000)
    Text2 = " , noch " + Zeit + " Sek. "
    GraphicsWindow.Title = Text1 + Text2 + Text3
    If Zeit <= 0 Then
      Spiel_Ende()
    EndIf
    Position_bestimmen()
    Winkel_berechnen()
    Strecke_berechnen()
    'Figur drehen und bewegen
    Shapes.Rotate(Figur, Winkel)
    Shapes.Animate(Figur, x,y, 2*Diff)
```

```
      Program.Delay(2*Diff)
   EndWhile
EndSub
```

Beim Setzen der Startwerte gibt es eine neue Variable, die die Zeit auf-
nimmt, zu der das Spiel gestartet wird:

```
Start = Clock.ElapsedMilliseconds
```

Die Eigenschaft ElapsedMilliseconds gibt die Zeit in Millisekunden
zurück, die seit 1900 verstrichen ist. Anzeigen müssen wir den Wert
nicht, aber wir heben ihn uns auf, denn wir brauchen ihn während des
Spiels laufend. In der Endlos-Schleife wird immer die aktuelle Zeit
(genauer: die Zeit, die seit 1900 vergangen ist) abgefragt und eine Differenz mit der Startzeit gebildet:

```
Zeit = Clock.ElapsedMilliseconds
Zeit = 60 - Math.Round((Zeit-Start)/1000)
```

Die mathematische Funktion Round rundet unsere Berechnung auf eine
ganze Zahl. Die Division durch 1000 macht aus Millisekunden Sekunden
und die 60 ist unser Maximalwert, von dem die verstrichene Zeit subtrahiert wird.

Aber da ist noch etwas anderes, was ich hier mit eingebaut habe, und
zwar nehmen wir hier das heutige Datum (Date) und die Uhrzeit (Time)
gleich mit in die Informationskette:

```
Text1 = Clock.Date + " " + Clock.Time
Text2 = " , noch " + Zeit + " Sek. "
GraphicsWindow.Title = Text1 + Text2 + Text3
```

Womit in OnMouseDown aus dem ehemaligen Text2 nunmehr Text3
wird (→ BUGGY7.SB):

```
Sub OnMouseDown
   Text3 = Treffer + " Treffer"
   xx = x - GraphicsWindcw.MouseX + 100
   yy = y - GraphicsWindcw.MouseY + 100
   If (Math.Abs(xx) < 10C) And (Math.Abs(yy) < 100) Then
     Treffer = Treffer + 1
   EndIf
EndSub
```

Wenn du diese Version dann spielst, hast du den vollen »Termin-Blick«. Ob
das sein muss, kannst du selbst entscheiden, auf jeden Fall weißt du, dass
und wie sich Datum und Uhrzeit in deine Programme einbauen lassen.

Jump and Duck

Und wo bleibt das neue Spiel, fragst du gerade? Erst mal schauen, welche Zutaten wir brauchen: einen Gegenstand, der durch das Spielfeld fliegt. Und eine Figur, die sich ducken und springen kann, um diesem Ding auszuweichen.

Ich habe mir dazu mit einem Grafik-Programm eine Figur in drei Positionen gemalt: stehend, im Sprung und geduckt.

Du solltest dir eigene Figuren erstellen, findest meine Bilder aber auch unter dem im Anhang genannten Verlags-Link. Beim Selbermachen solltest du beachten: Alle drei Bilder sollten dasselbe Format haben, die (zusammengekauerte) Figur sitzt beim Jumping ganz oben, beim Ducking ganz unten im Bild. Dadurch ist jeweils Platz, damit der »feindliche« Gegenstand berührungslos vorbeiziehen kann. (Für den lassen sich natürlich auch per Zufall wechselnde Bilder verwenden.)

Stellen wir also eine Figur ganz links ins Bild und lassen wir ständig einen Gegenstand (hier ein farbiges Rechteck) von rechts nach links sausen. In der Prozedur Spielfeld_einrichten laden wir uns gleich alle drei Figuren über die Shapes-Klasse ins Spiel (→ DODGER1.SB):

```
Sub Spielfeld_einrichten
   GraphicsWindow.Width  = 640
   GraphicsWindow.Height = 480
   Pfad = Program.Directory + "\Bilder\"
   Figur[2] = Shapes.AddImage(Pfad+"Duck.jpg")
   Figur[1] = Shapes.AddImage(Pfad+"Jump.jpg")
```

```
    Figur[0] = Shapes.AddImage(Pfad+"Stand.jpg")
    Ding = Shapes.AddRectangle(100,50)
  EndSub
```

Die Reihenfolge der Bilder ist wichtig. Alle Bilder liegen zusammen auf einem Stapel, das letzte Bild liegt obenauf. Außerdem haben wir noch ein kleines Rechteck für das fliegende Hindernis eingefügt.

Als Nächstes werden die nötigen Startwerte gesetzt:

```
Sub Startwerte_setzen
  Treffer = 0
  Nr = 0
  For i = 0 To 2
    Shapes.Move(Figur[i], 30,150)
  EndFor
EndSub
```

Die Variable `Treffer` zählt, wie oft die Figur vom Stein (oder was es sein mag) getroffen wurde, `Nr` enthält die Nummer der aktuellen Figur, also stehend (= 0), springend (= 1) oder hockend (= 2). Mit `Move` wird das ganze Bildpaket an seinen Standplatz gebracht. Dort bleibt die Figur das ganze Spiel hindurch und verändert nur ihre Haltung.

In der Endlos-Schleife für das eigentliche Spiel wird eine von zwei Zufallshöhen (y) erzeugt. Der Stein fliegt dann etwa in Kopfhöhe oder Kniehöhe auf die Figur zu:

```
Sub Spiel_Schleife
  While "True"
    y = Math.GetRandomNumber(2)*100+80
    Shapes.Move(Ding, 640,y)
    Shapes.Animate(Ding, -100,y, 1000)
    Program.Delay(1000)
    Kollisions_Kontrolle()
  EndWhile
EndSub
```

Du erinnerst dich: Statt `While 1 = 1` kann man auch `While "True"` schreiben. Die Kollisionskontrolle erfolgt nach dem dir schon bekannten Muster, muss aber hier noch für die einzelnen »Körperhaltungen« modifiziert werden:

```
Sub Kollisions_Kontrolle
  If Nr = 0 Then
    Treffer = Treffer + 1
  ElseIf (Nr = 1) And (y < 220) Then
    Treffer = Treffer + 1
  ElseIf (Nr = 2) And (y > 220) Then
    Treffer = Treffer + 1
  EndIf
  GraphicsWindow.Title = Treffer + " Treffer"
EndSub
```

Wenn die Figur einfach da steht (was sie jetzt ja noch tut), dann wird sie unweigerlich getroffen, also

```
If Nr = 0 Then
  Treffer = Treffer + 1
```

Sollte die Figur hochspringen, der Stein aber auch hochfliegen, dann gibt es ebenfalls einen Treffer:

```
If (Nr = 1) And (y < 220) Then
  Treffer = Treffer + 1
```

Geht die Figur dagegen in die Hocke, landet der Stein dann einen Treffer, wenn auch er tieffliegt:

```
If (Nr = 2) And (y > 220) Then
  Treffer = Treffer + 1
```

Damit die Figur dem herannahenden Stein nicht ständig schutzlos ausgeliefert ist, müssen wir sie mit Hilfe der Pfeiltasten steuern können. Dazu brauchen wir ein Tastenereignis:

```
GraphicsWindow.KeyDown = OnKeyDown
Sub OnKeyDown
  Figuren_verbergen()
  If GraphicsWindow.LastKey = "Up" Then
    Nr = 1
  ElseIf GraphicsWindow.LastKey = "Down" Then
    Nr = 2
  EndIf
  Shapes.ShowShape(Figur[Nr])
EndSub
```

Weil ich immer wieder mal Probleme mit dem Flackern der Bilder hatte, habe ich mich entschlossen, bei einem Tastendruck erst einmal alle Figuren kurzfristig unsichtbar zu machen. Das erledigt diese gleich zu Anfang aufgerufene Methode:

```
Sub Figuren_verbergen
  For i = 0 To 2
    Shapes.HideShape(Figur[i])
  EndFor
EndSub
```

Als Nächstes wird der Pfeiltaste nach oben die 1, nach unten die 2 als Wert für Nr zugeordnet. Zum Schluss wird die betreffende Figur wieder sichtbar gemacht:

```
Shapes.ShowShape(Figur[Nr])
```

Nun fehlt nur noch das (kleine) Hauptprogramm, dann könntest du das Spiel starten. Doch es gibt ein Problem, das wir vorher noch lösen sollten: Wenn die Figur einmal per Tastendruck eine neue Haltung angenommen hat, behält sie die auch nach dem Loslassen der Taste bei. Besser wäre es doch, sie würde wieder in den Stand-Modus wechseln. Also muss noch ein zweites Tastenereignis her:

```
GraphicsWindow.KeyUp = OnKeyUp
Sub OnKeyUp
  Nr = 0
  Shapes.ShowShape(Figur[Nr])
EndSub
```

Beim Loslassen der vorher gedrückten Pfeiltaste bekommt Nr wieder den Ausgangswert 0 und die passende Figur wird sichtbar gemacht. (Weil sie die anderen beiden verdeckt, muss Figuren_verbergen nicht unbedingt aufgerufen werden.)

Und jetzt endlich, denke ich, ist es Zeit für das gesamte Quelltext-Listing (→ DODGER1.SB):

```
Spielfeld_einrichten()
Startwerte_setzen()
GraphicsWindow.KeyDown = OnKeyDown
GraphicsWindow.KeyUp   = OnKeyUp
Spiel_Schleife()


Sub OnKeyDown
```

```
    Figuren_verbergen()
    If GraphicsWindow.LastKey = "Up" Then
      Nr = 1
    ElseIf GraphicsWindow.LastKey = "Down" Then
      Nr = 2
    EndIf
    Shapes.ShowShape(Figur[Nr])
EndSub


Sub OnKeyUp
  Nr = 0
  Shapes.ShowShape(Figur[Nr])
EndSub


Sub Spielfeld_einrichten
  GraphicsWindow.Width  = 640
  GraphicsWindow.Height = 480
  Pfad = Program.Directory + "\Bilder\"
  Figur[2] = Shapes.AddImage(Pfad+"Duck.jpg")
  Figur[1] = Shapes.AddImage(Pfad+"Jump.jpg")
  Figur[0] = Shapes.AddImage(Pfad+"Stand.jpg")
  Ding = Shapes.AddRectangle(100,50)
EndSub


Sub Startwerte_setzen
  Treffer = 0
  Nr = 0
  For i = 0 To 2
    Shapes.Move(Figur[i], 30,150)
  EndFor
EndSub


Sub Spiel_Schleife
  While "True"
    y = Math.GetRandomNumber(2)*100+80
    Shapes.Move(Ding, 640,y)
    Shapes.Animate(Ding, -100,y, 1000)
    Program.Delay(1000)
    Kollisions_Kontrolle()
  EndWhile
```

```
EndSub

Sub Figuren_verbergen
  For i = 0 To 2
    Shapes.HideShape(Figur[i])
  EndFor
EndSub

Sub Kollisions_Kontrolle
  If Nr = 0 Then
    Treffer = Treffer + 1
  ElseIf (Nr = 1) And (y < 220) Then
    Treffer = Treffer + 1
  ElseIf (Nr = 2) And (y > 220) Then
    Treffer = Treffer + 1
  EndIf
  GraphicsWindow.Title = Treffer + " Treffer"
EndSub
```

Und nun solltest du sofort nach dem Eintippen und Speichern des Quelltextes dein Spiel spielen. Und hol dir nicht zu viele blaue Flecken!

Der passende Schluss

Was fehlt dem Programm noch? Zum einen könnte man die Spielzeit wie bei einigen unserer früheren Spiele begrenzen. Zum anderen könnte man dieses Spiel auch beenden, wenn die Figur getroffen wurde. Die erste Möglichkeit kennst du bereits, du darfst das Programm dazu später selbst umschreiben (als Aufgabe).

Schauen wir mal, was sich ändert, wenn das Spiel schon beim ersten Treffer enden soll. Zuerst erübrigt sich das Zählen der Treffer bei der Kollisionskontrolle (→ DODGER2.SB):

```
Sub Kollisions_Kontrolle
  If Nr = 0 Then
    Spiel_Ende()
  ElseIf (Nr = 1) And (y < 220) Then
    Spiel_Ende()
  ElseIf (Nr = 2) And (y > 220) Then
```

```
      Spiel_Ende()
   EndIf
EndSub
```

Die zusätzlich nötige Prozedur fürs Ende des Spiels habe ich hier ein wenig modifiziert:

```
Sub Spiel_Ende
   GraphicsWindow.FontSize = 48
   GraphicsWindow.DrawText(190,280, "Game over")
   Figuren_verbergen()
   Shapes.HideShape(Ding)
   Program.Delay(500)
   Figuren_Animation()
   Program.Delay(500)
   Program.End()
EndSub
```

Hier werden erst alle Beteiligten unsichtbar gemacht, dann endet das Ganze mit einer kleinen Animation über dem Text »Game over« – womit wir auch mal wieder ein paar alte Methoden von Shapes verwenden können:

```
Sub Figuren_Animation
   Shapes.Move(Figur[1], 240,80)
   Shapes.ShowShape(Figur[1])
   For j = 1 To 100
     Shapes.Rotate(Figur[1],3.6*j)
     Shapes.SetOpacity(Figur[1],100-j)
     Program.Delay(50)
   EndFor
EndSub
```

Zusammenfassung

Zeit zum Verschnaufen. Mit Figuren und Kollisionen kennst du dich jetzt noch besser aus, außerdem weißt du, wie man einem Spiel ein zeitliches Ende setzen kann. Und natürlich hat dein Wortschatzvolumen wieder zugenommen:

Clock	Klasse nicht nur für Datum und Uhrzeit
Date	aktuelles Datum
Time	aktuelle Uhrzeit
Elapsed-Milliseconds	seit 1900 vergangene Zeit in Millisekunden
Sound	Klasse für Töne und Musik
Play	eine Musik- oder Geräuschdatei abspielen
PlayClick	ein Klickgeräusch abspielen

Auch aus dem Mathe-Vorrat hat Small Basic eine weitere Funktion preisgegeben:

Round	eine beliebige Zahl auf eine Ganzzahl runden

Ein paar Fragen ...

1. Worin siehst du den Unterschied zwischen Timer und Clock?

2. Wie ermittelt man die Zeitdifferenz zwischen zwei Terminen (in Sekunden oder Minuten)?

... und ein paar Aufgaben

1. Spendiere auch einem der Buggy-Programme ein Geräusch bei einem Treffer (und vielleicht ein anderes fürs Danebenklicken).

2. Das Dodger-Projekt soll nicht beim ersten Treffer enden, sondern eine begrenzte Spielzeit bekommen. Erweitere das Programm entsprechend.

3. Es gibt eine kleine Unschönheit beim »Dodger«: Solange man eine Taste drückt, bleibt er in Hock- oder Sprungstellung. Ändere das Programm so um, dass die Figur nach einer Weile wieder in die Stand-Haltung zurückkehrt (die Pfeiltaste also immer wieder neu gedrückt werden muss).

11

Figuren in Bewegung

Nun bringen wir noch mehr Bewegung ins Spiel, indem wir mehrere (selbst erstellte) Bilder kombinieren und ihnen das Laufen beibringen. Außerdem geht es um Hintergründe.

In diesem Kapitel lernst du

◎ wie man Bilderlisten aus Dateien zusammenstellt

◎ wie man eine Laufbewegung simuliert

◎ etwas über den Einsatz der Klasse `ImageList`

◎ wozu man transparente Farben braucht

◎ wie man Hintergründe verschiebt

Endlich ein Bild

Überspringen wir die Schritte mit dem Grafik-Programm und stellen wir uns vor, wir hätten bereits ein fertiges Bild.

Am besten, du erzeugst in deinem Programmverzeichnis einen neuen Ordner zum Beispiel mit dem Namen BILDER und packst dort ein paar JPG-Dateien hinein – selbstgemacht oder aus dem Internet geholt. Die Namen musst du dann in den kommenden Programmbeispielen einsetzen. (Auch unter dem im Anhang genannten Verlags-Link findest du einen Ordner mit Bildern.)

Ein Programm, das ein Bild lädt und anzeigt, könnte in Small Basic so aussehen (→ FIGUR1.SB):

```
GraphicsWindow.Width  = 800
GraphicsWindow.Height = 600
Pfad = Program.Directory + "\Bilder\"
GraphicsWindow.DrawImage(Pfad+"Figur01.jpg", 300,150)
```

Weil wir es jetzt mit einer größeren Figur als nur einem Käfer zu tun haben, sollten wir die Maße des Grafikfensters ausdehnen. (Vielleicht benutzt du ja längst noch größere Werte?)

Wenn du dieses kleine Programm laufen lässt, wird im Ordner BILDER im aktuellen Programmverzeichnis die passende Bilddatei gesucht. Dafür sorgt die Program-Eigenschaft Directory. Und **du** musst dafür sorgen, dass die Datei dort vorhanden ist.

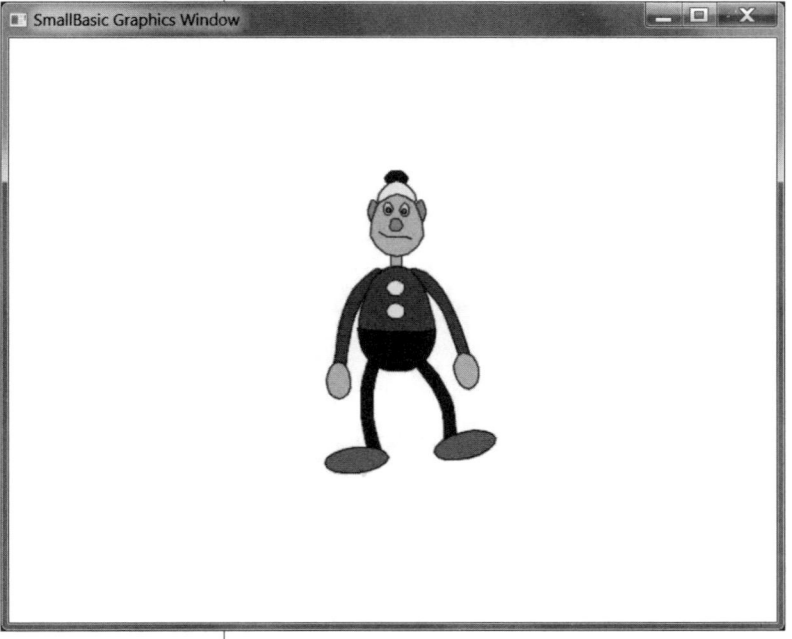

Es gibt zahlreiche Formate, in denen eine Grafik gespeichert wird. Bei mir funktionierten die Formate JPG und BMP gut. Außerdem gibt es z.B. das PNG-Format, auf das ich später noch genauer zurückkommen werde. Mit welchen Bildformaten Small Basic sonst noch etwas anfangen kann, probierst du am besten selbst aus.

Wie wir sehen, kann das Grafikfenster nicht nur geometrische Figuren wie Ellipsen und Rechtecke, sondern auch Bilder darstellen. Dazu ist die Methode DrawImage da, die das Bild in voller Größe an eine Stelle setzt, deren Position wir mit den letzten beiden Parametern angegeben haben:

```
DrawImage(Bildname, x,y)
DrawResizedImage(Bildname, x,y, Breite,Hoehe)
```

Der Vollständigkeit halber sei auch noch eine ähnliche Methode erwähnt: Falls das Bild mal nicht so passt, wie man es braucht, kann man es in Breite oder Höhe angleichen. Dabei können jedoch Verzerrungen entstehen: Aus einem Hochformat kann man mit DrawResizedImage auch ein Querformat machen und umgekehrt.

Eine Alternative wäre das Ganze mit Hilfe von Shapes (→ FIGUR1A.SB):

```
GraphicsWindow.Width  = 800
GraphicsWindow.Height = 600
Pfad = Program.Directory + "\Bilder\"
Figur = Shapes.AddImage(Pfad+"Figur01.jpg")
Shapes.Move(Figur, 300,150)
```

Das kennst du ja schon von den Projekten mit dem Käfer. Um eine Figur zu verschieben, würde es hier genügen, einfach nur die Move-Methode etwas anzupassen und durch Animate zu ergänzen, z.B.:

```
Shapes.Move(Figur, 10,150)
Shapes.Animate(Figur, 590,150, 2000)
```

Allerdings würde sich die Figur selbst nicht bewegen, dazu benötigen wir mehrere Bilder, aus denen man dann eine echte Animation machen kann – mindestens zwei.

Das Paket mit den Programmen zum Buch enthält auch einen BILDER-Ordner mit einem kompletten Satz von Figuren, die für einen Spaziergang in alle Richtungen geeignet sind. Die Dateinamen passen zu den hier vorgestellten Beispielen.

Die Figur in Bewegung

Wenn man jeweils zwei passende Figuren im Wechsel anzeigt, entsteht
der Eindruck einer Bewegung, man könnte glauben, dass die Figur läuft.
Schauen wir uns dazu mal dieses Programm an (→ FIGUR2.SB):

```
GraphicsWindow.Width  = 800
GraphicsWindow.Height = 600
Pfad = Program.Directory + "\Bilder\"
For x = -200 To 580 Step 20
  GraphicsWindow.DrawImage(Pfad+"Figur06.jpg", x,150)
  Program.Delay(150)
  GraphicsWindow.DrawImage(Pfad+"Figur02.jpg", x,150)
  Program.Delay(150)
EndFor
GraphicsWindow.DrawImage(Pfad+"Figur01.jpg", 580,150)
```

Wir lassen die Figur aus dem Nichts erscheinen und links ins Bild treten.
Dann läuft sie zügig nach rechts, bleibt dort stehen und wendet sich uns
zu. Dazu benötigen wir ein Minimum von drei Bildern. Wenn du flüssigere
Bewegungsabläufe willst, musst du natürlich mehr Bilder mit Zwischen-
schritten haben.

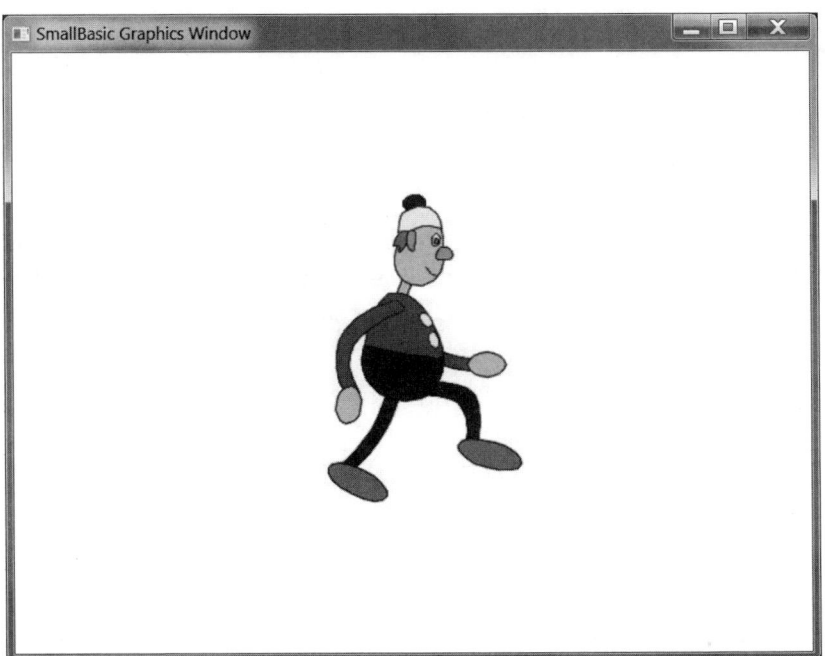

Du fragst nach der Alternative mit Shapes? Die hat mich hier nicht über-
zeugt, obwohl es auch damit geht, allerdings aufwendiger, wie du gleich
sehen wirst (→ FIGUR2A.SB):

```
GraphicsWindow.Width  = 800
GraphicsWindow.Height = 600
Pfad = Program.Directory + "\Bilder\"
For x = -200 To 580 Step 20
  Figur = Shapes.AddImage(Pfad+"Figur06.jpg")
  Shapes.Move(Figur, x,150)
  Program.Delay(150)
  Figur = Shapes.AddImage(Pfad+"Figur02.jpg")
  Shapes.Move(Figur, x,150)
  Program.Delay(150)
EndFor
Figur = Shapes.AddImage(Pfad+"Figur01.jpg")
Shapes.Move(Figur, 580,150)
```

Hier wird jeweils ein Bild in den »Behälter« von Shapes aufgenommen
und verschoben. Doch so schlank wie die Version, die nur mit Graphics-
Window auskommt, ist dieses Programm nicht.

Bei mir flackerten ab und zu mal Shapes-Figuren an Stellen auf, wo sie nicht hingehörten. Vielleicht lässt sich das Ganze beruhigen, wenn man nach der Pause eine Figur mit Remove wieder entfernt?

```
Shapes.Remove(Figur)
```

Nach einigem Probieren habe ich eine neue Klasse gefunden, die mir hier nützlich erscheint: Mit ImageList lassen sich Bilder sammeln, aus diesem Behälter kann dann das Bild geholt werden, das gerade benötigt wird (→ FIGUR3.SB):

```
Spielfeld_einrichten()
Spiel_Schleife()

Sub Spielfeld_einrichten
  GraphicsWindow.Width  = 800
  GraphicsWindow.Height = 600
  Pfad = Program.Directory + "\Bilder\"
  Figur[1] = ImageList.LoadImage(Pfad+"Figur01.jpg")
  Figur[2] = ImageList.LoadImage(Pfad+"Figur02.jpg")
  Figur[3] = ImageList.LoadImage(Pfad+"Figur06.jpg")
  Figur[4] = ImageList.LoadImage(Pfad+"Figur04.jpg")
  Figur[5] = ImageList.LoadImage(Pfad+"Figur08.jpg")
EndSub

Sub Spiel_Schleife
  z = 2
  For x = -200 To 580 Step 20
    Figur_bewegen()
  EndFor
  GraphicsWindow.DrawImage(Figur[1], 580,150)
  Program.Delay(500)
  z = 4
  For x = 580 To -200 Step -20
    Figur_bewegen()
  EndFor
EndSub

Sub Figur_bewegen
  For Nr = z To z+1
```

```
      GraphicsWindow.DrawImage(Figur[Nr], x,150)
      Program.Delay(150)
   EndFor
EndSub
```

Die Methode zum Laden der Bilddatei heißt hier LoadImage. Ich habe mich für ein Array entschieden, in dem alle Elemente abgelegt werden, die für das Hin- und Herlaufen einer Figur und für die Frontalansicht benötigt werden.

> Was hat ImageList noch zu bieten? Nur noch zwei Eigenschaften: Mit GetWidthOfImage und GetHeightOfImage lassen sich die Maße eines geladenen Bildes ermitteln.

Weil das Programm inzwischen um einiges angewachsen ist, ist eine Unterteilung in Prozeduren sinnvoll. Dabei bekommt die Spiel_Schleife (die jetzt mal keine Endlos-Schleife ist) noch mit Figur_bewegen eine Unterprozedur. In der wird das jeweilige Bilderpaar abwechselnd angezeigt.

> Wenn die Figurbilder genügend Rand haben (hier in Weiß), dann klappt das Verschieben gut. Andernfalls kann es sein, dass die Bewegung Spuren hinterlässt. Du wirst das feststellen, wenn du die Schrittweite von 20 auf 30 oder mehr erhöhst.
>
> Sollten sich Spuren zeigen, dann musst du im Programm Brush-Color (hier) auf Weiß (= "White") einstellen und in der Prozedur Figur_bewegen eine solche Zeile als letzte einfügen:
>
> GraphicsWindow.FillRectangle(x,150, 200,300)
>
> Damit wird dann mit einem weiß gefüllten Rechteck »hinterhergewischt«, damit keine Spuren mehr bleiben. (Eventuell musst du die Parameterwerte an die Größe deiner Figuren anpassen.)

Tasten-Wanderung

Jetzt wollen wir die Steuerung selbst in die Hand nehmen, die Figur soll sich nur noch regen, wenn wir eine der Pfeiltasten drücken. Dazu leihen wir uns die passende Struktur von einem früheren Programm (BALL5.SB) aus und modifizieren sie ein wenig (→ FIGUR4.SB):

11

```
Sub OnKeyDown
  If GraphicsWindow.LastKey = "Left" Then
    Nr = 6
    If x > 0 Then
      x = x - xDiff
    EndIf
  ElseIf GraphicsWindow.LastKey = "Right" Then
    Nr = 4
    If x < 590 Then
      x = x + xDiff
    EndIf
  ElseIf GraphicsWindow.LastKey = "Up" Then
    Nr = 5
    If y > 0 Then
      y = y - yDiff
    EndIf
  ElseIf GraphicsWindow.LastKey = "Down" Then
    Nr = 3
    If y < 300 Then
      y = y + yDiff
    EndIf
  EndIf
  z = -z
  Figur_bewegen()
EndSub
```

Allzu viel hat sich nicht geändert. Damit sich das Objekt nicht nur mit den Pfeiltasten verschieben lässt, müssen wir jeweils eine Startnummer (Nr) für das passende Figurbild bestimmen. Ansonsten gibt es noch eine Variable z, die in der Prozedur Startwerte_festlegen auf -2 gesetzt wird. Was es damit auf sich hat, verstehst du hoffentlich nach Ansicht dieser Tabelle:

Taste	Richtung	Figur	Nr + z
←	nach links	Figur04	$6 - 2 = 4$
		Figur08	$6 + 2 = 8$
→	nach rechts	Figur02	$4 - 2 = 2$
		Figur06	$4 + 2 = 6$

Taste	Richtung	Figur	Nr + z
↑	nach oben	Figur03	5 − 2 = 3
		Figur07	5 + 2 = 7
↓	nach unten	Figur01	3 − 2 = 1
		Figur05	3 + 2 = 5

Mit Nr+z bestimmen wir in Figur_bewegen die aktuelle Nummer der Figur, die angezeigt werden soll. Dazu lässt sich diese Prozedur so kürzen:

```
Sub Figur_bewegen
  GraphicsWindow.DrawImage(Figur[Nr+z], x,y)
  Program.Delay(100)
EndSub
```

Schön wäre es, wenn die Figur beim Loslassen einer Taste ihre Normalposition mit Blick nach vorn einnehmen würde. Dazu verwenden wir eine weitere Ereignisprozedur:

```
Sub OnKeyUp
  GraphicsWindow.DrawImage(Figur[1], x,y)
EndSub
```

Weil die einzelnen Figurdateien durchnummeriert sind, lassen sie sich in einer For-Schleife aufsammeln:

```
For i = 1 To 8
  Datei = Pfad + "Figur0" + i + ".jpg"
  Figur[i] = ImageList.LoadImage(Datei)
EndFor
```

Der Name der Bilddatei lässt sich einfach zusammensetzen, Small Basic ist so schlau, die aktuelle Nummer von einer Zahl in ein Zeichen umzuwandeln.

Spielfeld mit und ohne Grenzen

Damit du nun endlich deine Figur mit den Tasten über das Spielfeld jagen kannst (wobei die Geschwindigkeit vom Delay-Wert abhängt), hier der gesamte Quelltext (→ FIGUR4.SB):

```
Spielfeld_einrichten()
Startwerte_setzen()
```

```
GraphicsWindow.KeyDown = OnKeyDown
GraphicsWindow.KeyUp   = OnKeyUp
Spiel_Schleife()

Sub OnKeyDown
  If GraphicsWindow.LastKey = "Left" Then
    Nr = 6
    If x > 0 Then
      x = x - xDiff
    EndIf
  ElseIf GraphicsWindow.LastKey = "Right" Then
    Nr = 4
    If x < 590 Then
      x = x + xDiff
    EndIf
  ElseIf GraphicsWindow.LastKey = "Up" Then
    Nr = 5
    If y > 0 Then
      y = y - yDiff
    EndIf
  ElseIf GraphicsWindow.LastKey = "Down" Then
    Nr = 3
    If y < 300 Then
      y = y + yDiff
    EndIf
  EndIf
  z = -z
  Figur_bewegen()
EndSub

Sub OnKeyUp
  GraphicsWindow.DrawImage(Figur[1], x,y)
EndSub

Sub Spielfeld_einrichten
  GraphicsWindow.Width  = 800
  GraphicsWindow.Height = 600
  Pfad = Program.Directory + "\Bilder\"
  For i = 1 To 8
    Datei = Pfad + "Figur0" + i + ".jpg"
    Figur[i] = ImageList.LoadImage(Datei)
  EndFor
```

```
EndSub

Sub Startwerte_setzen
  xDiff = 10
  yDiff = 10
  x = 300
  y = 150
  z = -2
  GraphicsWindow.DrawImage(Figur[1], x,y)
EndSub

Sub Spiel_Schleife
  While "True"
  EndWhile
EndSub

Sub Figur_bewegen
  GraphicsWindow.DrawImage(Figur[Nr+z], x,y)
  Program.Delay(100)
EndSub
```

Beim genauen Hinschauen wird dir auffallen, dass wir uns eigentlich die Spiel-Schleife hätten völlig sparen können. Ich habe sie trotzdem im Programm gelassen – für eventuelle Spielerweiterungen.

Wenn es dich stört, dass die Figur an den Spielfeldrändern immerzu auf der Stelle läuft, dann solltest du dir die folgende Erweiterung leisten, die nur die Prozedur OnKeyDown betrifft (→ FIGUR4A.SB):

```
Sub OnKeyDown
  If GraphicsWindow.LastKey = "Left" Then
    Nr = 6
    If x > -200 Then
      x = x - xDiff
    Else
      x = 800
    EndIf
  ElseIf GraphicsWindow.LastKey = "Right" Then
    Nr = 4
    If x < 800 Then
      x = x + xDiff
    Else
      x = -200
    EndIf
```

```
    ElseIf GraphicsWindow.LastKey = "Up" Then
      Nr = 5
      If y > -300 Then
        y = y - yDiff
      Else
        y = 600
      EndIf
    ElseIf GraphicsWindow.LastKey = "Down" Then
      Nr = 3
      If y < 600 Then
        y = y + yDiff
      Else
        y = -300
      EndIf
    EndIf
    z = -z
    Figur_bewegen()
  EndSub
```

Hier verschwindet die Figur aus dem Bild und taucht auf der gegenüberliegenden Seite wieder auf.

Figur-Zoom

Wir könnten dem Spielfeld jetzt noch etwas Tiefe verleihen, also einen Hauch von 3D. Das heißt, dass die Figur auf dich zukommt und dabei größer wird, sich dann umdreht und wieder geht, bis sie im Hintergrund ganz verschwindet. Weil wir das mit Methoden der GraphicsWindow-Klasse nicht hinbekommen, müssen wir hier zur Zoom-Methode der Shapes-Klasse greifen. Und das ist das Programm, bei dem ich auf jegliche Steuerung von außen verzichtet habe (→ FIGUR5.SB):

```
Spielfeld_einrichten()
Spiel_Schleife()


Sub Spielfeld_einrichten
  GraphicsWindow.Width  = 800
  GraphicsWindow.Height = 600
  Pfad = Program.Directory + "\Bilder\"
  Bild[1] = ImageList.LoadImage(Pfad+"Figur01.jpg")
```

```
  Bild[2] = ImageList.LoadImage(Pfad+"Figur05.jpg")
  Bild[3] = ImageList.LoadImage(Pfad+"Figur03.jpg")
  Bild[4] = ImageList.LoadImage(Pfad+"Figur07.jpg")
EndSub


Sub Spiel_Schleife
  For y= 50 To 200 Step 10
    z = 1
    Figur_bewegen()
  EndFor
  For y = 200 To 5 Step -10
    z = 3
    Figur_bewegen()
  EndFor
EndSub


Sub Figur_bewegen
  For Nr = z To z+1
    Figur = Shapes.AddImage(Bild[Nr])
    Shapes.Zoom(Figur, y/100,y/100)
    Shapes.Move(Figur, 300,150)
    Program.Delay(150)
    Shapes.Remove(Figur)
  EndFor
EndSub
```

Hier taucht mal wieder die Remove-Methode auf. Die kann man weglassen, allerdings wird es dann problematisch, wenn die Figur immer kleiner wird. (Probier es aus, man kann es sehen.)

Mein Hauptproblem mit Shapes-Methoden ist und bleibt, dass die Figur immer wieder irgendwo links oben im Grafikfenster aufflackert. Wenn das bei dir nicht (mehr) passiert, dann kannst du dich freuen (und auch alle anderen Figur-Programme auf Shapes umstellen).

Hintergründe

Ein gutes Spielfeld braucht einen passenden Untergrund oder Hintergrund. Der kann durchaus einfarbig sein, dann gibt es auch keine Probleme, wenn das Bildrechteck, in dem unsere Figur sich befindet, genau dieselbe Farbe für ihren Hintergrund benutzt. Du kannst das sehen, wenn du in einem der bisherigen Programme die Hintergrundfarbe in eine andere als Weiß änderst, dem Quelltext also z.B. diese Zeile hinzufügst:

```
GraphicsWindow.BackgroundColor = "Green"
```

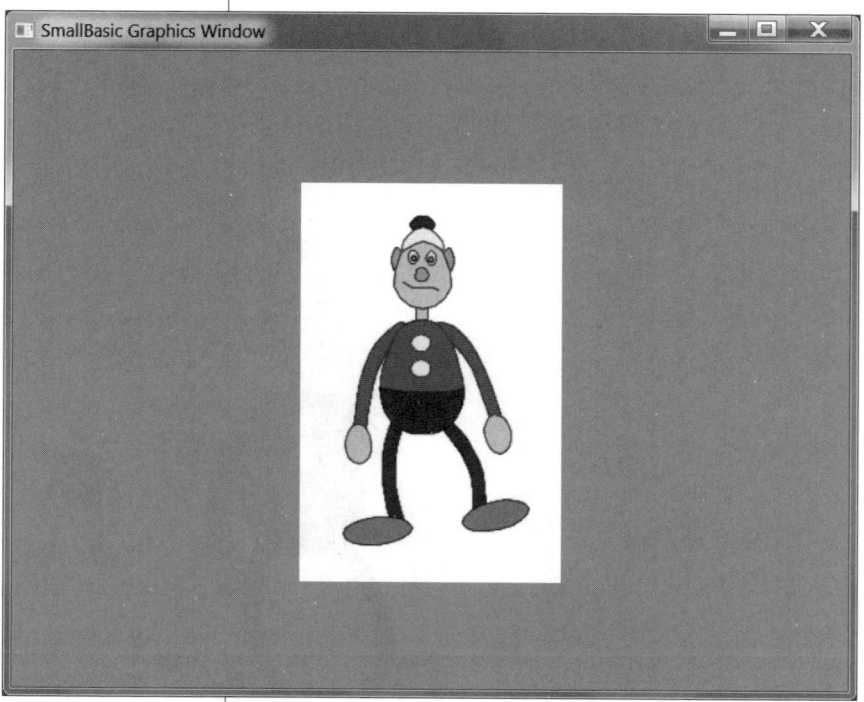

Dann erscheint die Figur von einem weißen Rechteck umrahmt. Es sei denn, du färbst diesen Bereich in derselben Farbe, die du deinem Spielfeld gegeben hast. Aber was ist, wenn der Hintergrund mehrfarbig ist? Und sich beim Laufen für die Figur ständig ändert? Dann brauchen wir so etwas wie eine »durchsichtige Farbe«. Das gibt es wirklich, aber nicht für jedes Bildformat.

Bisher habe ich für meine Programmbeispiele stets das JPG-Format benutzt. Nun wollen wir aufs PNG-Format wechseln. Dort lässt sich in einem geeigneten Grafik-Programm eine Farbe festlegen, die als **transparent** gilt.

In Small Basic wird eine solche Bilddatei dann eingeladen und eigentlich Punkt für Punkt (oder Pixel für Pixel) dargestellt. Nicht ganz: Sobald Small Basic auf einen Bildpunkt stößt, der als transparent festgelegt ist, übergeht es ihn. Was heißt das für unsere Figur? Wenn wir hier den (weißen) Hintergrund als durchsichtig definieren, bleibt an diesen Stellen die Farbe des Hintergrundes erhalten. Gemalt wird also nur die Figur (die natürlich keine weißen Stellen haben darf, weil sie dort sonst durchsichtig ist).

> Wenn du eine Farbe als transparent festgelegt hast, heißt das in unserem Falle nicht, dass nun nichts mehr weiß sein darf. Denn es gibt zahlreiche Weißtöne (und insgesamt viele Millionen Farben). Die transparente Farbe kann also auch ein leicht verschmutztes Weiß sein. Das darf natürlich sonst nirgendwo mehr vorkommen, wenn es nicht durchsichtig erscheinen soll.

Ergänzen wir jetzt das Projekt mit der Pfeiltastensteuerung um einen Hintergrund. Dabei möchte ich noch einen Schritt weitergehen: Mein Hintergrund ist jeweils doppelt so breit und hoch wie das Grafikfenster (also in unserem Fall 1600 mal 1200 Pixel). Ich möchte das Programm so ändern, dass sich die Figur nur auf der Stelle bewegt. Stattdessen verschiebt sich diesmal der Hintergrund.

Unsere Prozedur zum Bewegen von Figur und Hintergrund sieht dann so aus:

```
Sub Figur_bewegen
   GraphicsWindow.DrawImage(Hgrund, x,y)
   GraphicsWindow.DrawImage(Figur[Nr+z], 300,150)
   Program.Delay(100)
EndSub
```

Wenn dir der Name der Prozedur nicht mehr passt, kannst du dir ja einen anderen ausdenken. Inzwischen serviere ich dir die überarbeitete OnKey-Down-Methode:

```
Sub OnKeyDown
   If GraphicsWindow.LastKey = "Left" Then
     Nr = 6
     If x < 0 Then
       x = x + xDiff
     EndIf
   ElseIf GraphicsWindow.LastKey = "Right" Then
     Nr = 4
     If x > -800 Then
       x = x - xDiff
     EndIf
   ElseIf GraphicsWindow.LastKey = "Up" Then
     Nr = 5
     If y < 0 Then
       y = y + yDiff
     EndIf
   ElseIf GraphicsWindow.LastKey = "Down" Then
     Nr = 3
     If y > -600 Then
       y = y - yDiff
     EndIf
   EndIf
   z = -z
   Figur_bewegen()
EndSub
```

Die Werte von x und y werden weiterhin geändert, bloß diesmal andersherum, denn sie sind jetzt die Koordinaten für den Hintergrund. Und der bewegt sich nach links, wenn die Figur nach rechts geht, nach oben, wenn die Figur nach unten möchte.

Wenn du ein passendes (und ausreichend großes) Hintergrundbild gefunden hast, packen wir alles zusammen (→ FIGUR6.SB):

```
Spielfeld_einrichten()
Startwerte_setzen()
GraphicsWindow.KeyDown = OnKeyDown
Spiel_Schleife()
```

```
Sub OnKeyDown
  If GraphicsWindow.LastKey = "Left" Then
    Nr = 6
    If x < 0 Then
      x = x + xDiff
    EndIf
  ElseIf GraphicsWindow.LastKey = "Right" Then
    Nr = 4
    If x > -800 Then
      x = x - xDiff
    EndIf
  ElseIf GraphicsWindow.LastKey = "Up" Then
    Nr = 5
    If y < 0 Then
      y = y + yDiff
    EndIf
  ElseIf GraphicsWindow.LastKey = "Down" Then
    Nr = 3
    If y > -600 Then
      y = y - yDiff
    EndIf
  EndIf
  z = -z
  Figur_bewegen()
EndSub


Sub Spielfeld_einrichten
  GraphicsWindow.Width  = 800
  GraphicsWindow.Height = 600
  Pfad = Program.Directory + "\Bilder\"
  Hgrund = ImageList.LoadImage(Pfad+"\Hgrund1.jpg")
  For i = 1 To 8
    Datei = Pfad + "Figur0" + i + ".png"
    Figur[i] = ImageList.LoadImage(Datei)
  EndFor
EndSub


Sub Startwerte_setzen
  xDiff = 10
  yDiff = 10
```

```
    x = -400
    y = -300
    z = -2
    GraphicsWindow.DrawImage(Hgrund, x,y)
    GraphicsWindow.DrawImage(Figur[1], 300,150)
EndSub


Sub Spiel_Schleife
  While "True"
  EndWhile
EndSub


Sub Figur_bewegen
  GraphicsWindow.DrawImage(Hgrund, x,y)
  GraphicsWindow.DrawImage(Figur[Nr+z], 300,150)
  Program.Delay(100)
EndSub
```

Wie du sehen kannst, beginnt die DrawImage-Methode beim Hintergrundbild im Minusbereich. Das Grafikfenster erfasst also genau die

Mitte, drum herum befindet sich ein für dich unsichtbarer Rand. Natürlich kannst du auch riesige Bildflächen mit mehreren tausend Pixeln Breite und Höhe verwenden, womit du ein entsprechend großes Gesamtspielfeld zur Verfügung hast.

Zusammenfassung

Viel Neues vom Small-Basic-Wortschatz gab es hier nicht, es ging vor allem um die Bewegung von Figuren und auch um die von Hintergründen. Dabei waren uns eine neue Klasse und diese Methoden hilfreich:

`DrawImage`	ein Bild aus einer Datei ins Grafikfenster laden
`DrawResizedImage`	ein Bild aus einer Datei laden und die Anzeigemaße festlegen
`ImageList`	Klasse zum Sammeln von Bildern
`LoadImage`	ein Bild aus einer Datei "aufsammeln"
`GetWidthOfImage`	Breite eines geladenen Bildes ermitteln
`GetHeightOfImage`	Höhe eines geladenen Bildes ermitteln

Zwei Fragen ...

1. Normalerweise beziehen sich die Punktangaben z.B. für `DrawImage` auf die obere linke Ecke eines Bildes. Wie findet man den Mittelpunkt eines Bildes?

2. Wie ist das mit der Transparenz?

... und ein paar Aufgaben

1. Ändere das Programm FIGUR3.SB so um, dass die Figur dauernd mit Taste oder Maus in Bewegung gesetzt und wieder gestoppt werden kann.

2. Schreibe das Programm FIGUR4.SB für die Verwendung von Shapes um.

3. Ergänze das Programm aus Aufgabe 2 um eine Zoom-Funktion fürs Rauf- und Runterlaufen.

12

Komponenten und Datenfelder

Schon in Kapitel 7 hast du einen Button kennen gelernt: genauer ausgedrückt, im Programm BALL4.SB. Ganz verschämt hat er sich dort unten ins Grafikfenster geschmiegt und darauf gewartet, ab und zu von einer Maus »angemacht« zu werden. Mehr um solche Knöpfe oder Schaltflächen geht es hier. Und um einiges, was die Klasse Controls sonst noch zu bieten hat. Dabei sollte es natürlich auch hier wieder zu mindestens einem Spiel reichen.

In diesem Kapitel lernst du

◎ mehr über Buttons

◎ etwas über die Nutzung von Textboxen

◎ mehr über Arrays

◎ wie man Daten speichern und laden kann

12

Buttons zum Klicken

Beginnen wir ganz einfach, machen wir das Grafikfenster ein bisschen kleiner und setzen wir dort einen Button hinein. Die Aufschrift »Klick mich!« soll sich nach einem Mausklick in »Hallo!« ändern. Hier ist der Quelltext (→ HALLO3.SB):

```
GraphicsWindow.Width  = 400
GraphicsWindow.Height = 300
Button = Controls.AddButton("Klick mich!", 125,115)
Controls.SetSize(Button, 150,60)
Controls.ButtonClicked = OnClick
Sub OnClick
  Controls.SetButtonCaption(Button, "Hallo!")
EndSub
```

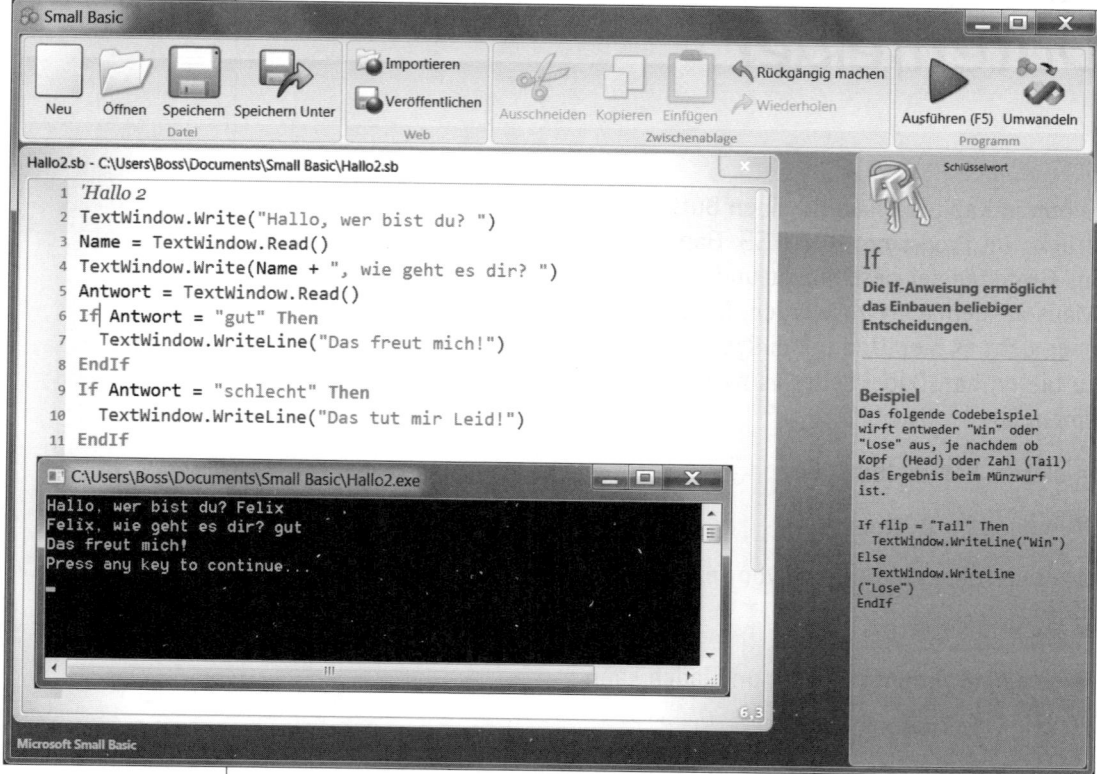

Eigentlich nichts Neues. Nichts, was du nicht schon von Kapitel 7 aus dem Programm mit dem Ball kennst (BALL4.SB). Deshalb gehen wir gleich ein paar Schritte weiter und versuchen, unser letztes Hallo-Programm

optisch zu modernisieren, indem wir die Antworten auf die Frage »Hallo, wie geht es dir?« zum Anklicken anbieten (→ HALLO4.SB):

```
GraphicsWindow.Width  = 400
GraphicsWindow.Height = 300
GraphicsWindow.Title = "Hallo, wie geht es dir?"
Button1 = Controls.AddButton("gut", 50,70)
Button2 = Controls.AddButton("schlecht", 220,70)
Controls.SetSize(Button1, 120,150)
Controls.SetSize(Button2, 120,150)
Controls.ButtonClicked = OnClick
Sub OnClick
  If Controls.LastClickedButton = Button1 Then
    GraphicsWindow.Title = "Das freut mich!"
  ElseIf Controls.LastClickedButton = Button2 Then
    GraphicsWindow.Title = "Das tut mir leid!"
  EndIf
EndSub
```

Was ist neu? Ähnlich wie schon die Eigenschaft LastKey eine ganz bestimmte Taste herausfiltern konnte, vermag das jetzt die Last-ClickedButton für mehr als einen Button.

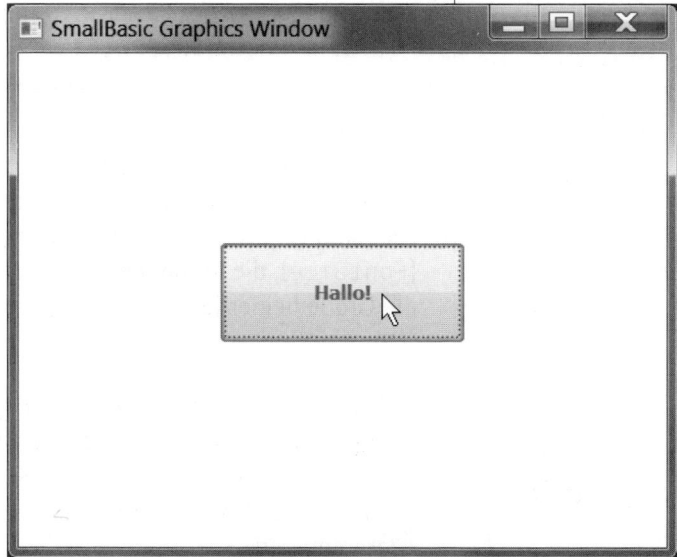

Nun sind wir schon bei zwei Knöpfen. Weiter wollte ich jetzt auch (noch) nicht gehen. Beim Nachforschen, was denn aus dem Material, das wir bisher an Programmen erstellt haben, noch für eine optische Aufwertung geeignet ist, bin ich auf das Zahlenraten gestoßen. Auch ein Spiel zwar, doch keines in grafischer Umgebung. Das werden wir jetzt ändern.

Weil dieses Programm nun deutlich umfangreicher wird als jeder seiner Vorgänger, unterteilen wir es gleich in Prozeduren:

❖ In Spielfeld_einrichten werden die erforderlichen Komponenten ins Grafikfenster eingefügt.

❖ In Spiel_vorbereiten wird eine Zufallszahl erzeugt und der Spielstart angezeigt.

❖ Diesmal haben wir keine While-Schleife, sondern Spiel_auswerten ist eine Unterprozedur von OnClick, hier wird überprüft, ob die Zahl richtig geraten wurde.

Eine Box für den Text

Außer einem Button benötigen wir hier eine weitere Komponente zum Eingeben unserer Zahl. TextBox heißt das Objekt. Und wie wird es eingefügt?

```
GraphicsWindow.FontSize = 20
Button = Controls.AddButton("OK", 100,180)
Controls.SetSize(Button, 200,80)
GraphicsWindow.FontSize = 36
TextBox = Controls.AddTextBox(100,80)
Controls.SetSize(TextBox, 200,60)
```

Na ja, das sind doch einige Anweisungen mehr, als du erwartet hast. Aber ich wollte dir die Aktionen für beide Komponenten in einem Paket liefern. Hier sind es jeweils drei Zeilen, in denen erst die Schriftgröße eingestellt (FontSize), die Komponente eingefügt (AddButton, AddTextBox) und die Größe beider Komponenten (SetSize) festgelegt werden.

> Außer TextBox für einzeilige Eingaben gibt es noch ein Textfeld für mehrzeilige Texte, das sich über AddMultiLineTextBox einfügen lässt. Interessant könnte diese Komponente z. B. sein, wenn du mal vorhast, ein Text-Adventure oder einen eigenen kleinen Editor zu programmieren.

Eine Box für den Text

Es bleibt dir überlassen, wie du den anfallenden Text auf DrawText und Title verteilst. Meine Lösung für das Spiel sieht so aus (→ RATEN7.SB):

```
'Hauptprogramm
Spielfeld_einrichten()
Spiel_vorbereiten()
Controls.ButtonClicked = OnClick

Sub OnClick
  Eingabe = Controls.GetTextBoxText(TextBox)
  Versuche = Versuche + 1
  Spiel_auswerten()
EndSub

Sub Spielfeld_einrichten
  GraphicsWindow.Width  = 400
  GraphicsWindow.Height = 300
  GraphicsWindow.FontSize = 20
  Button = Controls.AddButton("OK", 100,180)
  Controls.SetSize(Button, 200,80)
  GraphicsWindow.FontSize = 36
  TextBox = Controls.AddTextBox(100,80)
  Controls.SetSize(TextBox, 200,60)
EndSub

Sub Spiel_vorbereiten
  Regel = "Ich denke mir eine Zahl zwischen 1 und 1000"
  GraphicsWindow.FontSize = 14
  GraphicsWindow.DrawText(40,40, Regel)
  GraphicsWindow.Title = "Rate mal!"
  Zufall = Math.GetRandomNumber(1000)
  Versuche = 0
EndSub

Sub Spiel_auswerten
  If Eingabe < Zufall Then
    GraphicsWindow.Title = "Zu klein!"
  ElseIf Eingabe > Zufall Then
    GraphicsWindow.Title = "Zu groß!"
  Else
    GraphicsWindow.Title = "Richtig!"
```

```
    GraphicsWindow.Clear()

    GraphicsWindow.FontSize = 24

    GraphicsWindow.DrawText(60,130, "Du hast " + Versuche + " Mal
geraten.")

  EndIf

EndSub
```

Wenn du willst, kannst du zuerst nochmal eines der alten Ratespiele ausprobieren (die mit dem Textfenster meine ich), ehe du dich an unsere
letzte Kreation wagst.

Fragen und Antworten

Wir könnten eigentlich beim Raten bleiben, sollten uns aber ein bisschen
steigern. Wie wär's mit einem Quiz? So kommen wir von den reinen Zahlen auf Fragen und Antworten. Wie viele? Beginnen wir ganz bescheiden
mit drei Fragen, und für jede Frage soll es eine Auswahl an drei Antworten geben. Das fassen wir in einer Prozedur zusammen (→ QUIZ1.SB):

```
Sub Texte_vorbereiten

  Max = 3

  Frage[1] = "Wie heißt die kleine Schwester von Big Basic?"

  Antwort[1][1] = "Little Basic"

  Antwort[1][2] = "Small Basic"

  Antwort[1][3] = "Sweet Basic"

  Richtig[1] = 2
```

```
    Frage[2] = "Was bedeutet Turtle?"
    Antwort[2][1] = "Schildkröte"
    Antwort[2][2] = "Turteltaube"
    Antwort[2][3] = "Torte"
    Richtig[2] = 1
    Frage[3] = "Was ist keine Kontrollstruktur?"
    Antwort[3][1] = "If-Then-EndIf"
    Antwort[3][2] = "For-To-EndFor"
    Antwort[3][3] = "While-Until-EndWhile"
    Richtig[3] = 3
  EndSub
```

Dir gefallen die Fragen nicht? Dann schmeiß sie raus und nimm deine eigenen. Es sollten später ohnehin mehr als nur drei sein. Dazu muss dann der Wert der Variablen Max angepasst werden.

Der ganze Frage-Antwort-Komplex ist in zwei Variablenfeldern (**Arrays**) angelegt. Dabei ist das Array Frage eindimensional, Antwort hat zwei Dimensionen, und das Feld, das die Nummer der richtigen Antwort enthält, wieder eine. Und so hängen diese Felder miteinander zusammen:

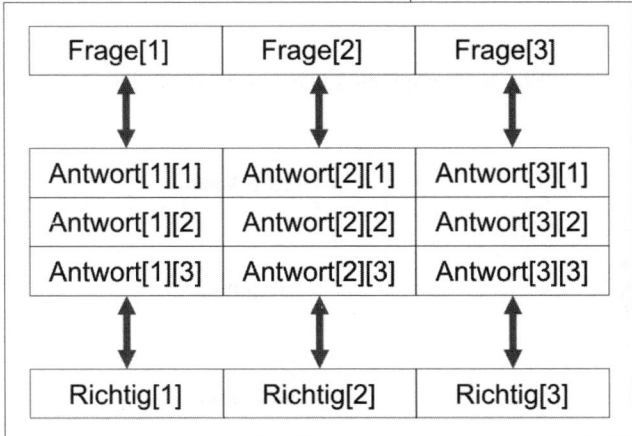

Zu jeder Frage gehören drei Antworten und eine Nummer. Die brauchen wir später, wenn wir kontrollieren, ob die Antwort richtig ist. Man kann das alles als eine Art Datensatz auffassen.

Bevor Fragen und Antworten angezeigt werden können, benötigen wir einige Komponenten. Genau genommen drei Buttons. Auf jedem der drei steht dann eine Antwort zur Auswahl, nach Klick auf einen der Buttons erscheint die Meldung »Richtig« oder »Falsch«, je nachdem, ob man die passende Antwort getroffen hat oder nicht.

12

```
Sub Fenster_einrichten
  GraphicsWindow.Width  = 500
  GraphicsWindow.Height = 400
  GraphicsWindow.BrushColor = "Black"
  GraphicsWindow.Title = "Quiz"
  GraphicsWindow.FontSize = 14
  GraphicsWindow.DrawText(150,40, "Neue Frage = Klick auf NEU!")
  For i= 1 To 3
    Button[i] = Controls.AddButton("Antwort "+i, 50,i*70+20)
    Controls.SetSize(Button[i], 400,50)
  EndFor
  GraphicsWindow.FontSize = 24
  Neu = Controls.AddButton("Neu",180,310)
  Controls.SetSize(Neu, 150,50)
EndSub
```

Es gibt einen vierten Button mit der Aufschrift »Neu«, der dient dazu, sich eine neue Frage zu holen.

Auffällig ist, dass auch die drei Antwort-Buttons als **Array** (hier: Komponentenfeld) angelegt wurden.

Komponente	Button-Text	angeklickte Antwort
Button[1]	Antwort[Nr][1]	Klick = 1
Button[2]	Antwort[Nr][2]	Klick = 2
Button[3]	Antwort[Nr][3]	Klick = 3

Zu jedem Button gehört ein Antworttext, außerdem ordnen wir ihm eine Nummer zu, um später die richtige Antwort ermitteln zu können. Das geschieht in dieser Prozedur:

```
Sub Antwort_auswerten
  If Richtig[Nr] = Klick Then
    GraphicsWindow.Title = "Richtig!"
  Else
    GraphicsWindow.Title = "Falsch!"
  EndIf
EndSub
```

Nr ist die Nummer der aktuellen Kombination aus Frage und Antworten. Sie wird per Zufall ermittelt. Außerdem sollen dann die betreffende Frage und die zugehörigen Antworten angezeigt werden. Das erledigt die Methode Frage_stellen:

```
Sub Frage_stellen
  GraphicsWindow.Title = "Quiz"
  GraphicsWindow.BrushColor = "White"
  GraphicsWindow.FillRectangle(10,30, 480,30)
  GraphicsWindow.BrushColor = "Black"
  Nr = Math.GetRandomNumber(Max)
  GraphicsWindow.FontSize = 14
  GraphicsWindow.DrawText(50,40, Frage[Nr])
  For i= 1 To 3
    Controls.SetButtonCaption(Button[i], Antwort[Nr][i])
  EndFor
EndSub
```

Die ersten drei Zeilen dienen dem »Saubermachen«. Erst wird der Titel wiederhergestellt (dort stand ja nach Beantwortung der Frage »Richtig!« oder »Falsch!«). Dann wird die Zeile mit der Frage mit einem weißen Rechteck übermalt:

```
GraphicsWindow.Title = "Quiz"
GraphicsWindow.BrushColor = "White"
GraphicsWindow.FillRectangle(10,30, 480,30)
```

Mit dieser Zeile suchen wir eine zufällige Frage aus:

```
Nr = Math.GetRandomNumber(Max)
```

Diese wird nun direkt im Grafikfenster angezeigt, anschließend werden die Buttons in einer For-Schleife mit den möglichen Antworten bestückt:

```
GraphicsWindow.DrawText(50,40, Frage[Nr])
For i= 1 To 3
  Controls.SetButtonCaption(Button[i], Antwort[Nr][i])
EndFor
```

Richtig oder falsch?

Die Ereignisprozedur übernimmt nun die Rollenverteilung an die Buttons. Bei einem Mausklick auf den Neu-Button wird eine neue Frage gestellt, bei einem Klick auf einen der Antwort-Buttons bekommt die Variable Klick die Nummer der Buttons und wird dann an die Prozedur Antwort_auswerten weitergeleitet:

```
Sub OnClick
  If Controls.LastClickedButton = Neu Then
    Frage_stellen()
  ElseIf Controls.LastClickedButton = Button[1] Then
    Klick = 1
    Antwort_auswerten()
  ElseIf Controls.LastClickedButton = Button[2] Then
    Klick = 2
    Antwort_auswerten()
  ElseIf Controls.LastClickedButton = Button[3] Then
    Klick = 3
    Antwort_auswerten()
  EndIf
EndSub
```

Für das Hauptprogramm bleiben damit nur ein paar Zeilen, aber der gesamte Quelltext ist nicht gerade mager. Und er wird natürlich immer weiter wachsen, wenn du die Anzahl der Fragen und Antworten erhöhst. Um eine Lösung dieses Problems kümmern wir uns später. Jetzt aber erst einmal das komplette Programm (→ QUIZ1.SB):

Richtig oder falsch?

```
Texte_vorbereiten()
Fenster_einrichten()
Controls.ButtonClicked = OnClick

Sub OnClick
  If Controls.LastClickedButton = Neu Then
    Frage_stellen()
  ElseIf Controls.LastClickedButton = Button[1] Then
    Klick = 1
    Antwort_auswerten()
  ElseIf Controls.LastClickedButton = Button[2] Then
    Klick = 2
    Antwort_auswerten()
  ElseIf Controls.LastClickedButton = Button[3] Then
    Klick = 3
    Antwort_auswerten()
  EndIf
EndSub


Sub Texte_vorbereiten
  Max = 3
  Frage[1] = "Wie heißt die kleine Schwester von Big Basic?"
  Antwort[1][1] = "Little Basic"
  Antwort[1][2] = "Small Basic"
  Antwort[1][3] = "Sweet Basic"
  Richtig[1] = 2
  Frage[2] = "Was bedeutet Turtle?"
  Antwort[2][1] = "Schildkröte"
  Antwort[2][2] = "Turteltaube"
  Antwort[2][3] = "Torte"
  Richtig[2] = 1
  Frage[3] = "Was ist keine Kontrollstruktur?"
  Antwort[3][1] = "If-Then-EndIf"
  Antwort[3][2] = "For-To-EndFor"
  Antwort[3][3] = "While-Until-EndWhile"
  Richtig[3] = 3
  'hier kommen weitere Fragen und Antworten hin!
EndSub
```

```
Sub Fenster_einrichten
  GraphicsWindow.Width  = 500
  GraphicsWindow.Height = 400
  GraphicsWindow.BrushColor = "Black"
  GraphicsWindow.Title = "Quiz"
  GraphicsWindow.FontSize = 14
  GraphicsWindow.DrawText(150,40, "Neue Frage = Klick auf NEU!")
  For i= 1 To 3
    Button[i] = Controls.AddButton("Antwort "+i, 50,i*70+20)
    Controls.SetSize(Button[i], 400,50)
  EndFor
  GraphicsWindow.FontSize = 24
  Neu = Controls.AddButton("Neu",180,310)
  Controls.SetSize(Neu, 150,50)
EndSub


Sub Frage_stellen
  GraphicsWindow.Title = "Quiz"
  GraphicsWindow.BrushColor = "White"
  GraphicsWindow.FillRectangle(10,30, 480,30)
  GraphicsWindow.BrushColor = "Black"
  Nr = Math.GetRandomNumber(Max)
  GraphicsWindow.FontSize = 14
  GraphicsWindow.DrawText(50,40, Frage[Nr])
  For i= 1 To 3
    Controls.SetButtonCaption(Button[i], Antwort[Nr][i])
  EndFor
EndSub


Sub Antwort_auswerten
  If Richtig[Nr] = Klick Then
    GraphicsWindow.Title = "Richtig!"
  Else
    GraphicsWindow.Title = "Falsch!"
  EndIf
EndSub
```

Nachdem du dir die Mühe gemacht hast, das alles einzutippen (oder hast du dir das Programm bereits aus dem Internet geholt?), gibt das Spiel noch nicht allzu viel her. Drei Fragen sind doch ziemlich dürftig – mal abgesehen vom Inhalt der Fragen und Antworten.

Datentransfer

Wir sollten uns nach einer Möglichkeit umschauen, wie wir die Fragen außerhalb des Programms in einer eigenen Datei unterbringen und vom Programm aus laden können. Natürlich bietet Small Basic auch da einen Weg.

Dazu habe ich zuerst mit dem Windows-Editor einige Fragen und die zugehörigen möglichen Antworten eingetippt und alles im **Unicode**-Format gespeichert.

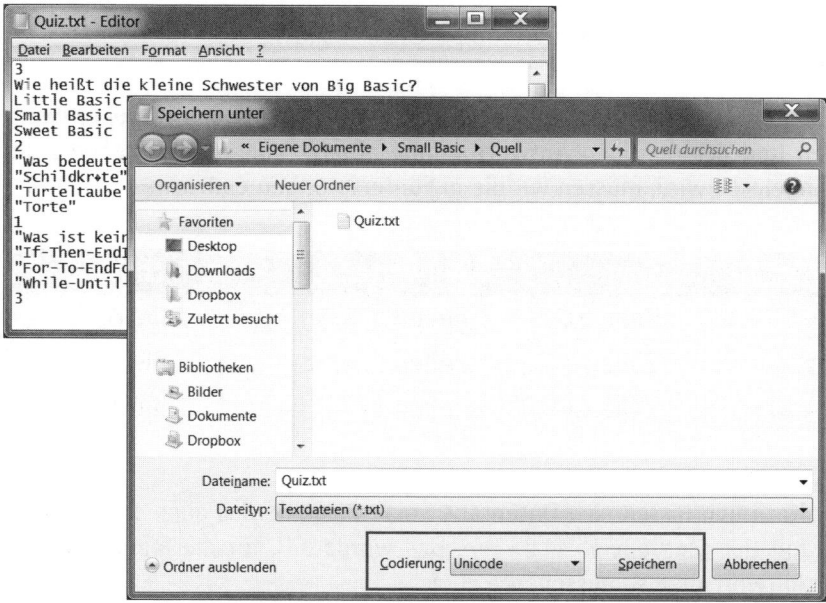

In der ersten Zeile sollte die **Anzahl** der dann folgenden Datensätze stehen. In ein Small-Basic-Programm lässt diese Zeile sich dann so einlesen:

```
Max = File.ReadLine(Datei, 1)
```

Die Klasse `File` ist für den Datentransport zuständig, kann aber auch für das Verwalten von Dateien genutzt werden (wie z.B. das Kopieren oder Löschen einer Datei). Mit der Methode `ReadLine` wird der Inhalt einer Datei zeilenweise eingelesen (wobei es natürlich sinnvoll ist, dies nicht mit einer Datei zu versuchen, die keinen Text enthält). Der erste Parameter übernimmt den Dateinamen mit vollständigem Pfad, der zweite die Zeilennummer, die eingelesen werden soll.

Für die Variable `Datei` wäre etwa eine solche Vereinbarung möglich:

```
Datei = Program.Directory + "\quiz.txt"
```

Ich habe die Datei in demselben Verzeichnis wie das aktuelle Projekt untergebracht. Du kannst dir aber auch ein eigenes Verzeichnis erstellen und das dann für den Dateipfad einsetzen.

Wie geht es weiter? Nachdem du nun Max kennst, können wir für die restlichen Daten eine For-Schleife verwenden. Ein paar kleine Verrenkungen sind aber doch nötig:

```
For i = 1 To Max
  Frage[i] = File.ReadLine(Datei, 5*i-3)
  Antwort[i][1] = File.ReadLine(Datei, 5*i-2)
  Antwort[i][2] = File.ReadLine(Datei, 5*i-1)
  Antwort[i][3] = File.ReadLine(Datei, 5*i)
  Richtig[i] = File.ReadLine(Datei, 5*i+1)
EndFor
```

Die Zählvariable i benennt den jeweiligen Datensatz aus Frage, Antworten und der richtigen Antwortnummer. Damit auch die passende Zeile eingelesen wird, müssen wir die in Fünfersprüngen einlesen:

Satz Nr.	Frage	Antworten	Richtig
1	Zeile 2	Zeilen 3, 4, 5	Zeile 6
2	Zeile 7	Zeilen 8, 9, 10	Zeile 11
3	Zeile 12	Zeilen 13, 14, 15	Zeile 16

Natürlich lassen sich Daten aus Small Basic heraus auch speichern, mit der Methode WriteLine. Das würde z.B. für die Fragen- und Antwortsätze so aussehen:

```
For i = 1 To Max
  File.WriteLine(Datei, 5*i-3, Frage[i])
  File.WriteLine(Datei, 5*i-2, Antwort[i][1])
  File.WriteLine(Datei, 5*i-1, Antwort[i][2])
  File.WriteLine(Datei, 5*i,   Antwort[i][3])
  File.WriteLine(Datei, 5*i+1, Richtig[i])
EndFor
```

Gegenüber der ersten Version des Quiz-Programms ändert sich sonst nichts, weshalb ich dir hier auch nur die Prozedur Texte_vorbereiten vorstelle (→ QUIZ2.SB):

```
Sub Texte_vorbereiten
  Datei = Program.Directory + "\quiz.txt"
```

```
  'Max einlesen
  Max = File.ReadLine(Datei, 1)
  'Daten sammeln
  For i = 1 To Max
    Frage[i] = File.ReadLine(Datei, 5*i-3)
    Antwort[i][1] = File.ReadLine(Datei, 5*i-2)
    Antwort[i][2] = File.ReadLine(Datei, 5*i-1)
    Antwort[i][3] = File.ReadLine(Datei, 5*i)
    Richtig[i] = File.ReadLine(Datei, 5*i+1)
  EndFor
EndSub
```

Und nun bist du dran: Fülle eine Textdatei mit möglichst vielen Fragen, halte dich dabei an die obengenannten Regeln, speichere die Datei als Unicode-Text. Dann teste dein Programm – oder lass es andere ausprobieren.

Zusammenfassung

Und wieder mal ist eine Pause fällig. Diesmal weißt du, wie man ein Wissensspiel programmiert und wie man Daten speichern und laden kann. Auch der Small-Basic-Wortschatz ist für dich wieder etwas umfangreicher geworden.

Es ging hier vor allem um diese zwei Klassen und einige ihrer Methoden und Eigenschaften:

Controls	Klasse für Buttons und Textfenster
AddTextBox	eine Textbox (für eine Zeile Text) ins Grafikfenster einfügen
AddMultiLine-TextBox	eine Textbox für mehrzeiligen Text ins Grafikfenster einfügen
SetSize	die Größe der Textbox ändern
ButtonClicked	Button wurde angeklickt
LastClicked-Button	Name des angeklickten Buttons
File	Klasse für Dateioperationen
ReadLine	Daten (zeilenweise) aus einer Datei laden
WriteLine	Daten (zeilenweise) in eine Datei speichern

Ein paar Fragen ...

1. Was ist eine Komponente?

2. Kann ein Array auch mehr als ein- oder zweidimensional sein?

3. Wie werden Daten gespeichert und geladen?

... und ein paar Aufgaben

1. Erweitere das letzte Hallo-Programm auf mehr als zwei Buttons und benutze dazu ein Array.

2. Spendiere auch einem der neuen Hallo-Programme Prozeduren.

3. Erstelle ein Programm, in dem sich ein Button per Zufall schnell im Fenster bewegt (benutze dazu die Move-Methode von Controls). Und du musst versuchen, den Button mit der Maus zu erwischen.

4. Das Raten-Programm soll einen zusätzlichen Cheat-Button erhalten. Bei einem Mausklick erfährt man für nur kurze Zeit die zu erratende Zahl.

13

Boom – Noch ein Spiel?

Nun wollen wir noch einmal all unser Wissen zusammenpacken und schauen, ob wir ein weiteres Spiel zustande bekommen. Wobei ich hier gleich davor warnen möchte: Ein professionelles Spiel mit allem Drum und Dran lässt sich nur programmieren, wenn man Profi und bereit ist, ein Projekt immer und immer wieder auszubauen, zu testen und zu verbessern, bis es reibungslos funktioniert. Das hier vorgestellte Spiel ist aus meiner Sicht ein guter Anfang.

In diesem Kapitel lernst du

◎ ein größeres Projekt kennen

◎ noch mehr über Kollisionen

Kanone und Kugel

Worum geht es? Aus einer Kanone wird eine Kugel abgeschossen und fliegt in einem Bogen auf ein Ziel zu, um es zu treffen – oder sie fliegt daran vorbei. Zum Zielen lassen sich zwei Faktoren einstellen: ein Kraftwert bis 100% und ein Winkel zwischen 0 und 90 Grad. Du kennst das Prinzip sicher von verschiedenen Spielen her. Aktuell ist zurzeit z.B. »Angry Birds«. Dort wird mit einer Steinschleuder versucht, wütende Vögel auf zu zerstörende Ziele zu schießen.

Auch für Small Basic gibt es ein Spiel namens »Gorilla«, wo zwei Gorillas sich gegenseitig mit explosiven Bananen bewerfen. Dieses Spiel kannst du über IMPORTIEREN mit der Nummer NLQ667-2 aus dem Internet in Small Basic laden und ausprobieren.

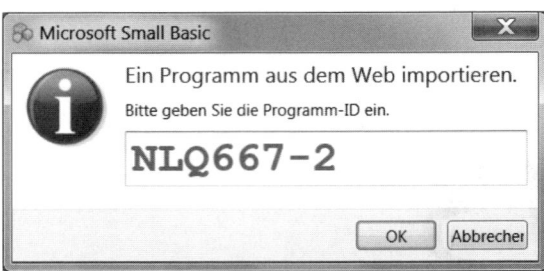

Wir machen es uns erst mal möglichst einfach: Ein Rechteck ist unsere Kanone, ein Kreis ist die Kugel, die abgeschossen (oder geschleudert) werden soll. Beides erzeugen wir als Elemente von Shapes:

```
Kugel = Shapes.AddEllipse(30,30)
Figur = Shapes.AddRectangle(40,90)
```

Bei der Schleuder- oder Schusskraft starten wir mit 50%, für den Ausgangswinkel setzen wir 45°. Dann positionieren wir die Kugel (unsichtbar) hinter/unter der Kanone:

```
xStart = 90
yStart = 450
Kraft  = 50
Winkel = 45
Treffer = 0
Shapes.Move(Kugel, xStart,yStart)
Shapes.Move(Figur, xStart-10,yStart-20)
Shapes.Rotate(Figur, Winkel)
```

In der Spielschleife wird dann die Kanone jeweils ausgerichtet und ihre Größe verändert, damit man die aktuellen Einstellungen auch sehen kann:

```
While "True"
  Shapes.Rotate(Figur, Winkel)
  Faktor = 0.9 + Kraft/100
  Shapes.Zoom(Figur, Faktor,Faktor)
EndWhile
```

Die Justierung der Kanone nehmen wir mit den Pfeiltasten vor, Links-Rechts für den Abschusswinkel (Winkel) und Rauf-Runter für die Schusskraft (Kraft):

```
GraphicsWindow.KeyDown = OnKeyDown
Sub OnKeyDown
  If GraphicsWindow.LastKey = "Left" Then
    If Winkel > 0 Then
      Winkel = Winkel - 2
    EndIf
  ElseIf GraphicsWindow.LastKey = "Right" Then
    If Winkel < 90 Then
      Winkel = Winkel + 2
    EndIf
  ElseIf GraphicsWindow.LastKey = "Down" Then
    If Kraft > 40 Then
      Kraft = Kraft - 5
    EndIf
  ElseIf GraphicsWindow.LastKey = "Up" Then
    If Kraft < 100 Then
      Kraft = Kraft + 5
    EndIf
  EndIf
  Werte_anzeigen()
EndSub
```

Ich habe hier für die Kraft als untere Grenze 40% festgelegt, diesen Wert kannst du aber gern ändern. (Gleiches gilt für die Schrittweite: 2 Grad für Winkel und 5% für Kraft.)

Für das Abschießen der Kugel sorgt ein Mausklick:

```
GraphicsWindow.MouseDown = OnMouseDown
Sub OnMouseDown
  Kugel_Flugbahn()
EndSub
```

Und damit ist der einfachere Teil auch schon zu Ende. Denn nun geht es darum, eine physikalisch möglichst exakte Flugbahn für die Kugel hinzubekommen.

In einer For-Schleife werden die Koordinatenwerte für x und y ständig neu berechnet.

```
For z = 0 To 22 Step 0.1
  x = xStart + xBahn*z
  y = yStart - yBahn*z + 5*z*z
  Shapes.Move(Kugel, x,y)
EndFor
```

Weil die Flugbahn einen Bogen beschreibt, verändern sich die Werte von x und y nicht gleichmäßig. Deshalb benutzen wir als Zählvariable mit z eine Art Zeitwert (der nicht mit Sekunden gleichzusetzen ist). xBahn und yBahn werden aus den Werten von Kraft und Winkel gebildet und stehen damit vor dem Start der For-Schleife fest. Zuerst brauchen wir das Bogenmaß. Wir müssen den Winkelwert anpassen, weil für Small Basic 0 Grad oben, für uns aber rechts beginnen:

```
Bogen = Math.GetRadians(90-Winkel)
```

Dann ermitteln wir die beiden Faktoren für die Flugbahn:

```
xBahn = Kraft * Math.Cos(Bogen)
yBahn = Kraft * Math.Sin(Bogen)
```

Wie du siehst, benötigen wir auch hier wieder die Hilfe von Sinus (Sin) und Kosinus (Cos). Die beiden Formeln für die Koordinaten der Flugbahn ähneln sich:

```
+ xBahn * z
- yBahn * z + 5*z*z
```

Während für x der »Bahn-Faktor« mit der Zeit multipliziert wird, genügt das für y nicht. Zum einen haben wir hier einen negativen »Bahn-Faktor«. Zum anderen spielt hier die Anziehungskraft der Erde eine Rolle. Gäbe es die nicht, würde die Kugel immer weiter geradeaus fliegen. Die 5 ist ein gerundeter Wert, er bezeichnet die halbe Erdanziehungskraft.

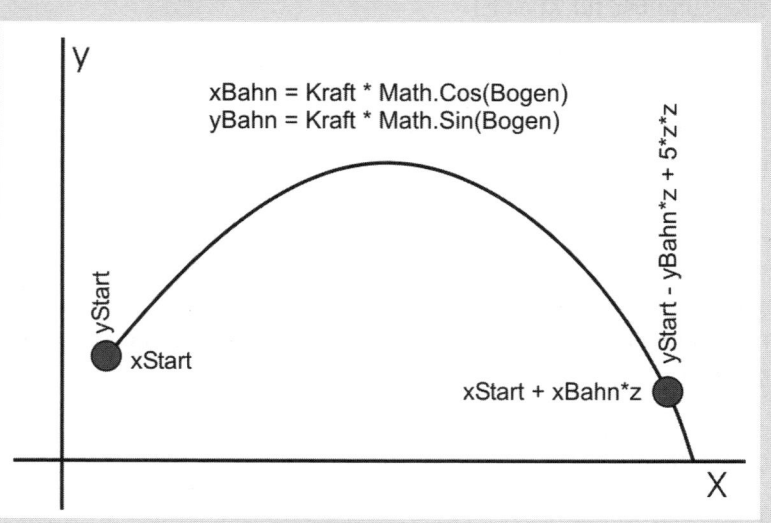

Irgendwo muss die Kugel landen, dann würde die Zeit zwar weiter-laufen, aber mit der Kugel passiert nichts mehr. Du kannst es auch mit einem Ball vergleichen, den du wirfst. Wenn der auf der Erde auf-kommt, wird er noch eine Weile rollen oder hüpfen und dann irgend-wann liegen bleiben. Ich habe hier den Endwert 22 für die Zeit als ausreichend ermittelt. (Wir beschränken uns nur auf die reine Flug-bahn, solange Kugel oder Ball noch in der Luft und im Grafikfenster sichtbar ist.)

Der erste Schuss

Lassen wir die Kugel fliegen. Wenn du den ganzen Quelltext eingegeben hast, kannst du gleich per Mausklick schießen, aber auch die Kanone zwi-schen jedem Schuss über die Pfeiltasten neu justieren. Hier ist das kom-plette Programm (→ BOOM1.SB):

```
Spielfeld_einrichten()
Startwerte_setzen()
GraphicsWindow.MouseDown = OnMouseDown
GraphicsWindow.KeyDown    = OnKeyDown
Spiel_Schleife()

Sub OnMouseDown
  Kugel_Flugbahn()
EndSub

Sub OnKeyDown
  If GraphicsWindow.LastKey = "Left" Then
    If Winkel > 0 Then
      Winkel = Winkel - 2
    EndIf
  ElseIf GraphicsWindow.LastKey = "Right" Then
    If Winkel < 90 Then
      Winkel = Winkel + 2
    EndIf
  ElseIf GraphicsWindow.LastKey = "Down" Then
    If Kraft > 40 Then
      Kraft = Kraft - 5
    EndIf
```

```
    ElseIf GraphicsWindow.LastKey = "Up" Then
      If Kraft < 100 Then
        Kraft = Kraft + 5
      EndIf
    EndIf
  EndIf
  Werte_anzeigen()
EndSub


Sub Spielfeld_einrichten
  GraphicsWindow.Width  = 800
  GraphicsWindow.Height = 600
  Kugel = Shapes.AddEllipse(30,30)
  Figur = Shapes.AddRectangle(40,90)
EndSub


Sub Startwerte_setzen
  xStart = 90
  yStart = 450
  Kraft  = 50
  Winkel = 45
  Treffer = 0
  Shapes.Move(Kugel, xStart,yStart)
  Shapes.Move(Figur, xStart-10,yStart-20)
  Shapes.Rotate(Figur, Winkel)
  Werte_anzeigen()
EndSub


Sub Spiel_Schleife
  While "True"
    'Kanone ausrichten
    Shapes.Rotate(Figur, Winkel)
    Faktor = 0.9 + Kraft/100
    Shapes.Zoom(Figur, Faktor,Faktor)
  EndWhile
EndSub


Sub Werte_anzeigen
  Text1 = " Winkel: " + (90-Winkel) + "     "
  Text2 = " Kraft: "  + Kraft + "%" + "     "
  Info  = " Justieren = Pfeiltasten    Schuss = Maus"
```

```
    GraphicsWindow.Title = Text1 + Text2 + Info
  EndSub


Sub Kugel_Flugbahn
  Shapes.HideShape(Kugel)
  Bogen = Math.GetRadians(90-Winkel)
  xBahn = Kraft * Math.Cos(Bogen)
  yBahn = Kraft * Math.Sin(Bogen)
  For z = 0 To 22 Step 0.1
    x = xStart + xBahn*z
    y = yStart - yBahn*z + 5*z*z
    Shapes.ShowShape(Kugel)
    Shapes.Move(Kugel, x,y)
    Program.Delay(10)
  EndFor
EndSub
```

Ich habe das Programm noch ein bisschen erweitert. So werden in der Titelleiste u.a. die Werte für die Schusskraft und den Winkel angezeigt. Und die zusätzliche Verwendung von HideShape und ShowShape lässt meine Kugel ruckfreier fliegen.

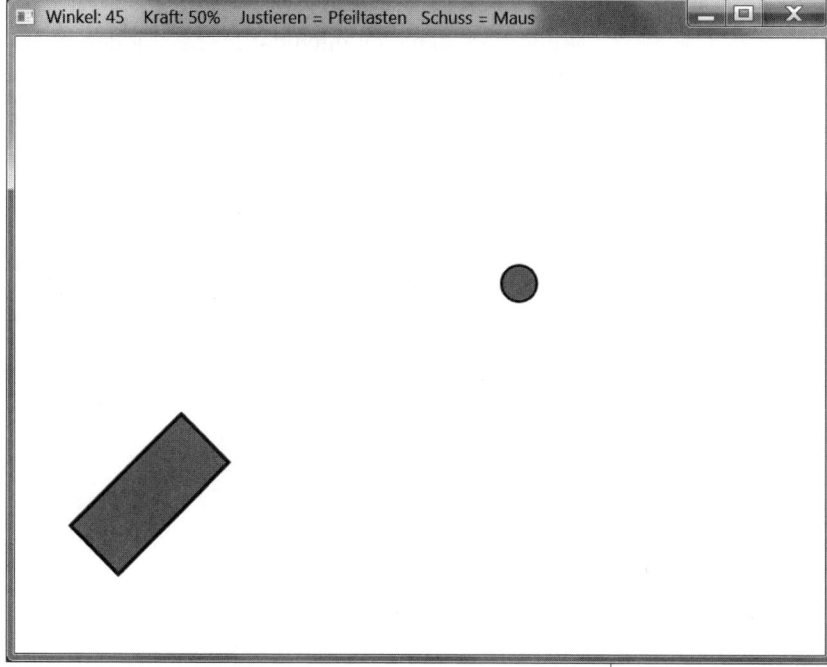

13

Mehr Komfort mit Buttons

Ich möchte die Einstellungsmöglichkeiten für die Kanone nun ein biss-chen erweitern. Genauer: Statt nur mit den Pfeiltasten soll eine Justie-rung auch mit der Maus möglich sein. Dazu brauchen wir jetzt fünf Buttons, die wir am unteren Fensterrand positionieren (➔ BOOM2.SB):

```
Sub Buttons_setzen
  GraphicsWindow.FontSize = 16
  SButton = Controls.AddButton("Start",640,540)
  Controls.SetSize(SButton, 120,40)
  GraphicsWindow.BrushColor = "Black"
  GraphicsWindow.FontSize = 22
  For i= 1 To 3 Step 2
    Button[i] = Controls.AddButton("<--", i*120+20, 540)
    Controls.SetSize(Button[i], 80,40)
  EndFor
  For i= 2 To 4 Step 2
    Button[i] = Controls.AddButton("-->", i*120, 540)
    Controls.SetSize(Button[i], 80,40)
  EndFor
EndSub
```

Außerdem habe ich mich dafür entschieden, für die Kanone ein Bild statt eines Rechtecks zu verwenden:

```
Pfad = Program.Directory + "\Bilder\"
Figur = Shapes.AddImage(Pfad+"Kanone.png")
```

Wenn du ein farbiges Grafikfenster möchtest oder gar ein Hintergrund-bild, solltest du die Kanone als PNG-Datei (mit transparentem Hinter-grund) vorrätig haben.

Für die Buttons benötigen wir natürlich eine passende Ereignisprozedur, dabei wird über den START-Button der Abschuss der Kugel ausgelöst:

```
Controls.ButtonClicked = OnClick
Spiel_Schleife()

Sub OnClick
  If Controls.LastClickedButton = SButton Then
    Kugel_Flugbahn()
  ElseIf Controls.LastClickedButton = Button[1] Then
```

```
   If Winkel > 1 Then
     Winkel = Winkel - 2
   EndIf
 ElseIf Controls.LastClickedButton = Button[2] Then
    If Winkel < 89 Then
     Winkel = Winkel + 2
   EndIf
 ElseIf Controls.LastClickedButton = Button[3] Then
    If Kraft > 40 Then
     Kraft = Kraft - 5
   EndIf
 ElseIf Controls.LastClickedButton = Button[4] Then
   If Kraft < 100 Then
     Kraft = Kraft + 5
   EndIf
 EndIf
 Werte_anzeigen()
EndSub
```

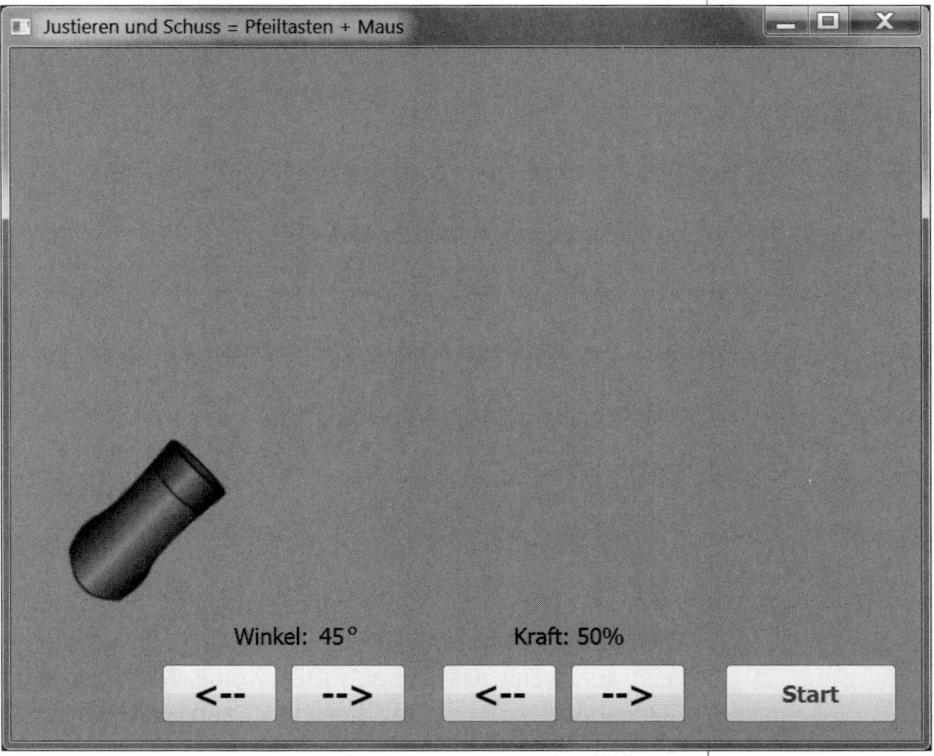

Das Anzeigen der Werte übernimmt eine Extra-Prozedur:

```
Sub Werte_anzeigen
  Text1 = "Winkel: " + (90-Winkel) + "°"
  Text2 = "Kraft: " + Kraft + "%"
  GraphicsWindow.FontSize = 16
  GraphicsWindow.FontBold = "False"
  GraphicsWindow.BrushColor = "Lime"
  GraphicsWindow.FillRectangle(180,505, 360,30)
  GraphicsWindow.BrushColor = "Black"
  GraphicsWindow.DrawText(190,510, Text1)
  GraphicsWindow.DrawText(425,510, Text2)
  GraphicsWindow.Title = Info
EndSub
```

Und das sind schon die wesentlichen Änderungen der nächsten Version unseres »Ballerspiels«. Was jetzt noch fehlt, ist ein Ziel, das es dann zu treffen gilt.

Auf dem Weg zum Ziel

Dazu benötigen wir ein weiteres Objekt, das wie die Kugel ein gemalter Kreis oder auch ein Bild sein kann. Ich habe das mit der Positionierung des Zieles zusammengepackt (→ BOOM3.SB):

```
Sub Ziel_positionieren
  xZiel = Math.GetRandomNumber(400)+300
  yZiel = Math.GetRandomNumber(200)+200
  Ziel = Shapes.AddImage(Pfad+"Ziel1.png")
  Shapes.Move(Ziel, xZiel,yZiel)
  Controls.HideControl(NButton)
  Schuss = 0
  Info = " Justieren und Schuss = Pfeiltasten + Maus"
  Werte_anzeigen()
EndSub
```

Ach ja, eine neue Schaltfläche gibt es auch noch: NButton taucht aber erst auf, wenn das Ziel getroffen wurde. Mit Klick auf diesen Button kannst du das Ziel neu positionieren. Dann verschwindet die Schaltfläche wieder.

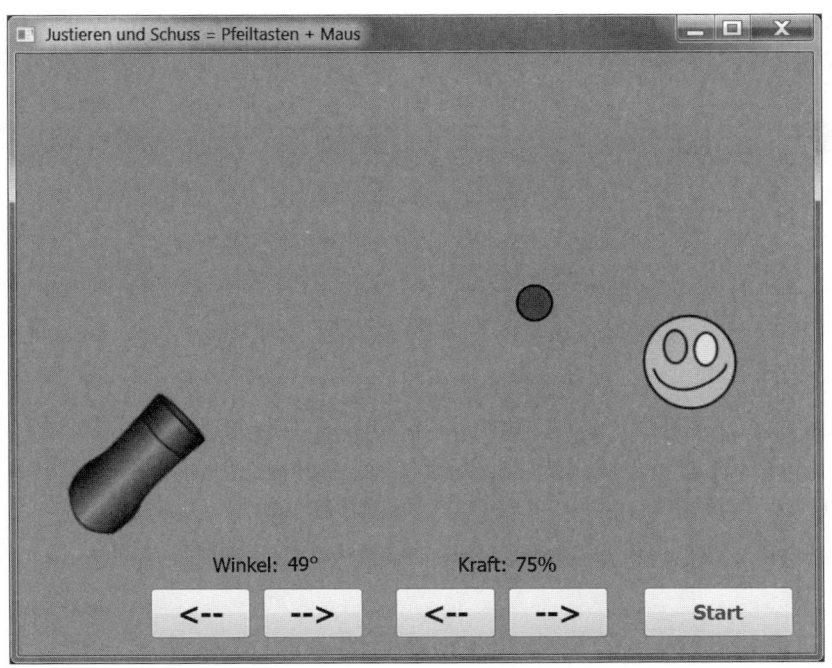

Um festzustellen, ob ein Ziel getroffen wurde, benötigen wir mal wieder eine Kollisionskontrolle. Die ist diesmal etwas komplizierter als vorher, denn wir müssen für insgesamt vier Grenzen überprüfen, ob sich irgendwo die abgeschossene Kugel und das (feststehende) Ziel überschneiden:

Weil diese Bedingungen alle verknüpft werden müssen, formen wir daraus vier Gleichungen:

Bedingung:	Bedingungsvariable:
x + 20 > xZiel	xL = x + 20 - xZiel
y + 20 > yZiel	yO = y + 20 - yZiel
xZiel + 60 > x	xR = xZiel + 60 - x
yZiel + 60 > y	yU = yZiel + 60 - y

Die zusätzlichen Großbuchstaben sollen für »Links«, »Oben«, »Rechts« und »Unten« stehen – jeweils vom Ziel aus gesehen. (Die Zahlenwerte habe ich gegenüber den wahren Maßen etwas verringert, um die Treffsicherheit zu verändern. Experimentiere ruhig mit anderen Werten.)

Mit Hilfe der vier Variablen formen wir jetzt eine einzige Bedingungskette:

```
(xL > 0) And (yO > 0) And (xR > 0) And (yU > 0)
```

Nur wenn alle vier Werte größer als null sind, findet eine Kollision statt. Einen Haken gibt es noch: Während sich die Kugel über das Ziel hinwegbewegt, kommt es eigentlich zu mehrfachem Kontakt. Gezählt werden darf aber nur ein Treffer. Deshalb benutzen wir eine Hilfsvariable Schuss, die bei Ziel_positionieren auf 0 und bei der ersten Kollision auf 1 gesetzt wird. Womit wir unsere Kollisionsprozedur zusammenhätten:

```
Sub Kollisions_Kontrolle
  If Schuss = 0 Then
    xL = x + 20 - xZiel
    yO = y + 20 - yZiel
    xR = xZiel + 60 - x
    yU = yZiel + 60 - y
    If (xL > 0) And (yO > 0) And (xR > 0) And (yU > 0) Then
      Schuss = 1
      Treffer = Treffer + 1
      Info = Treffer + " Treffer"
      Shapes.Remove(Ziel)
      Ziel = Shapes.AddImage(Pfad+"Ziel2.png")
      Shapes.Move(Ziel, xZiel,yZiel)
    EndIf
    GraphicsWindow.Title = Info
```

```
      EndIf
   EndSub
```

Das getroffene Ziel sollte natürlich verschwinden. Das geht einfach nur mit der Remove-Methode oder man macht daraus eine kleine Animation. Wie du das Ganze ausgestaltest, bleibt deiner Fantasie überlassen. Ich habe ein neues Bild hinzugefügt, das die Position des alten einnimmt. Zusätzlich gibt es noch diese Prozedur:

```
Sub Ziel_eliminieren
   For i = 0 To 360 Step 5
      Shapes.Rotate(Ziel, i)
      Shapes.SetOpacity(Ziel, 90-i/4)
      Program.Delay(10)
   EndFor
   Shapes.Remove(Ziel)
   Controls.ShowControl(NButton)
EndSub
```

Nachdem das Grinsen zur sauren Miene geworden ist, verschwindet das Ziel sich langsam drehend nun im Nichts. Der NEU-Button taucht auf und bietet ein neues Ziel an – auf Mausklick.

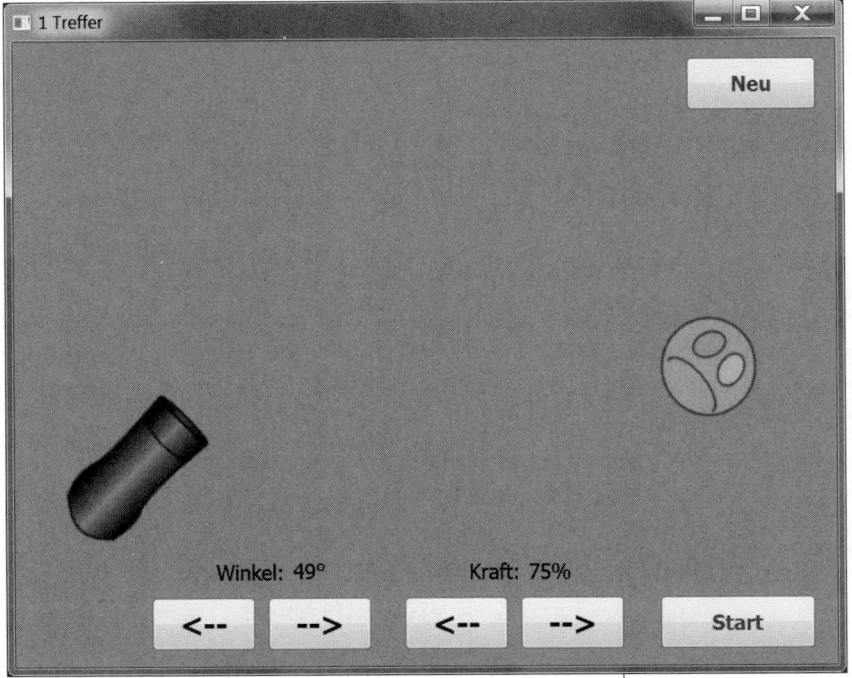

Aber wo wird diese Prozedur aktiviert? In der Kollisionskontrolle verändert sich lediglich der Gesichtsausdruck. Das dauert so lange, bis die Kugel ihren Flug beendet hat. Erst dann verschwindet auch das Ziel. Würde man es gleich verschwinden lassen, müsste die Kugel dort eine Weile warten, ehe sie ihre Flugbahn zu Ende bringen kann. Deshalb findest du den Aufruf von Ziel_eliminieren in dieser Prozedur:

```
Sub Kugel_Flugbahn
  Shapes.HideShape(Kugel)
  Bogen = Math.GetRadians(90-Winkel)
  xBahn = Kraft * Math.Cos(Bogen)
  yBahn = Kraft * Math.Sin(Bogen)
  For z = 0 To 22 Step 0.1
    x = xStart + xBahn*z
    y = yStart - yBahn*z + 5*z*z
    Shapes.ShowShape(Kugel)
    Shapes.Move(Kugel, x,y)
    Program.Delay(10)
    Kollisions_Kontrolle()
  EndFor
  If Schuss = 1 Then
    Ziel_eliminieren()
  EndIf
EndSub
```

Alles am Stück

Jetzt willst du endlich das Programm am Stück sehen, den gesamten Quelltext? Hier ist er (→ BOOM3.SB):

```
Spielfeld_einrichten()
Startwerte_setzen()
GraphicsWindow.KeyDown = OnKeyDown
Controls.ButtonClicked = OnClick
Spiel_Schleife()

Sub OnClick
  If Controls.LastClickedButton = SButton Then
    Kugel_Flugbahn()
  ElseIf Controls.LastClickedButton = NButton Then
```

```
      Ziel_positionieren()
    ElseIf Controls.LastClickedButton = Button[1] Then
      If Winkel > 1 Then
        Winkel = Winkel - 2
      EndIf
    ElseIf Controls.LastClickedButton = Button[2] Then
      If Winkel < 89 Then
        Winkel = Winkel + 2
      EndIf
    ElseIf Controls.LastClickedButton = Button[3] Then
       If Kraft > 40 Then
        Kraft = Kraft - 5
      EndIf
    ElseIf Controls.LastClickedButton = Button[4] Then
      If Kraft < 100 Then
        Kraft = Kraft + 5
      EndIf
    EndIf
    Werte_anzeigen()
EndSub

Sub OnKeyDown
  If GraphicsWindow.LastKey = "Left" Then
    If Winkel > 0 Then
      Winkel = Winkel - 1
    EndIf
  ElseIf GraphicsWindow.LastKey = "Right" Then
    If Winkel < 90 Then
      Winkel = Winkel + 1
    EndIf
  ElseIf GraphicsWindow.LastKey = "Down" Then
    If Kraft > 40 Then
      Kraft = Kraft - 5
    EndIf
  ElseIf GraphicsWindow.LastKey = "Up" Then
    If Kraft < 100 Then
      Kraft = Kraft + 5
    EndIf
  EndIf
  Werte_anzeigen()
```

```
EndSub

Sub Spielfeld_einrichten
  GraphicsWindow.Width  = 800
  GraphicsWindow.Height = 600
  GraphicsWindow.BackgroundColor = "Lime"
  GraphicsWindow.BrushColor = "Red"
  Pfad = Program.Directory + "\Bilder\"
  Kugel = Shapes.AddEllipse(30,30)
  Figur = Shapes.AddImage(Pfad+"Kanone.png")
  Buttons_setzen()
EndSub

Sub Startwerte_setzen
  xStart = 90
  yStart = 400
  Kraft  = 50
  Winkel = 45
  Treffer = 0
  Ziel_positionieren()
  Shapes.Move(Kugel, xStart,yStart)
  Shapes.Move(Figur, xStart-10,yStart-20)
  Shapes.Rotate(Figur, Winkel)
EndSub

Sub Spiel_Schleife
  While "True"
    'Kanone ausrichten
    Shapes.Rotate(Figur, Winkel)
    Faktor = 0.9 + Kraft/100
    Shapes.Zoom(Figur, Faktor,Faktor)
  EndWhile
EndSub

Sub Buttons_setzen
  GraphicsWindow.FontSize = 16
  SButton = Controls.AddButton("Start",640,540)
  Controls.SetSize(SButton, 120,40)
  NButton = Controls.AddButton("Neu",660,20)
  Controls.SetSize(NButton, 100,40)
```

```
   GraphicsWindow.BrushColor = "Black"
   GraphicsWindow.FontSize = 22
   For i= 1 To 3 Step 2
     Button[i] = Controls.AddButton("<--", i*120+20, 540)
     Controls.SetSize(Button[i], 80,40)
   EndFor
   For i= 2 To 4 Step 2
     Button[i] = Controls.AddButton("-->", i*120, 540)
     Controls.SetSize(Button[i], 80,40)
   EndFor
EndSub


Sub Werte_anzeigen
   Text1 = "  Winkel: " + (90-Winkel) + "°"
   Text2 = " Kraft: " + Kraft + "%"
   GraphicsWindow.FontSize = 16
   GraphicsWindow.FontBold = "False"
   GraphicsWindow.BrushColor = "Lime"
   GraphicsWindow.FillRectangle(180,505, 360,30)
   GraphicsWindow.BrushColor = "Black"
   GraphicsWindow.DrawText(190,510, Text1)
   GraphicsWindow.DrawText(425,510, Text2)
   GraphicsWindow.Title = Info
EndSub


Sub Ziel_positionieren
   xZiel = Math.GetRandomNumber(400)+300
   yZiel = Math.GetRandomNumber(200)+200
   Ziel = Shapes.AddImage(Pfad+"Ziel1.png")
   Shapes.Move(Ziel, xZiel,yZiel)
   Controls.HideControl(NButton)
   Schuss = 0
   Info = " Justieren und Schuss = Pfeiltasten + Maus"
   Werte_anzeigen()
EndSub


Sub Kugel_Flugbahn
   Shapes.HideShape(Kugel)
   Bogen = Math.GetRadians(90-Winkel)
   xBahn = Kraft * Math.Cos(Bogen)
```

```
    yBahn = Kraft * Math.Sin(Bogen)
  For z = 0 To 22 Step 0.1
    x = xStart + xBahn*z
    y = yStart - yBahn*z + 5*z*z
    Shapes.ShowShape(Kugel)
    Shapes.Move(Kugel, x,y)
    Program.Delay(10)
    Kollisions_Kontrolle()
  EndFor
  If Schuss = 1 Then
    Ziel_eliminieren()
  EndIf
EndSub


Sub Kollisions_Kontrolle
  If Schuss = 0 Then
    xL = x + 20 - xZiel
    yO = y + 20 - yZiel
    xR = xZiel + 60 - x
    yU = yZiel + 60 - y
    If (xL > 0) And (yO > 0) And (xR > 0) And (yU > 0) Then
      Schuss = 1
      Treffer = Treffer + 1
      Info = Treffer + " Treffer"
      Shapes.Remove(Ziel)
      Ziel = Shapes.AddImage(Pfad+"Ziel2.png")
      Shapes.Move(Ziel, xZiel,yZiel)
    EndIf
    GraphicsWindow.Title = Info
  EndIf
EndSub


Sub Ziel_eliminieren
  For i = 0 To 360 Step 5
    Shapes.Rotate(Ziel, i)
    Shapes.SetOpacity(Ziel, 90-i/4)
    Program.Delay(10)
  EndFor
  Shapes.Remove(Ziel)
  Controls.ShowControl(NButton)
EndSub
```

So, und nun solltest du nicht nur deine Zielkünste ausprobieren, sondern auch kräftig mit den Zahlen im Programm und mit eigenen Bildern experimentieren.

Zusammenfassung

Das war nun wirklich das letzte Spiel im Buch, es wird aber sicher nicht das letzte gewesen sein, das du programmiert hast. Denn du darfst dich längst zu Höherem berufen fühlen. Und sollte dir Small Basic »zu eng« werden, dann solltest du dir mal Visual Basic anschauen. Oder überhaupt die ganze Familie des Visual Studio. Für Spiele gibt es noch das XNA-Paket, mit dem man u.a. auch Projekte für die Xbox programmieren kann.

Hier gab es mal keine neuen Wörter, sondern nur eine Vertiefung des Gelernten.

Keine Fragen ...

... aber zwei Aufgaben

1. Ändere das Projekt BOOM3 so um, dass das getroffene Ziel schon verschwindet, während die Kugel noch auf ihrer Bahn fliegt. (Hinweis: Hier benötigst du die Timer-Tick-Methode anstelle der For-Schleife.)

2. Erstelle ein Programm, in dem man per Mausklick einen Ball von oben fallen lässt. Der hüpft dann elastisch auf und ab, die Sprünge werden langsam kleiner, bis der Ball schließlich liegen bleibt.

Anhang A

Für Eltern ...

Programme selber schreiben? Manch eine/-r wäre froh, wenn er/sie auf dem heimischen PC überhaupt das Programm zum Laufen kriegt, mit dem er/sie gerade arbeiten will. Und zu beneiden sind diese Programmierer ja auch nicht gerade, obwohl so mancher in seinem Job gar nicht mal übel verdient.

Aber dem Computer mal sagen können, wo's langgeht, mit diesem Gedanken könnte man sich doch anfreunden. Nichts spricht dagegen, wenn Sie Ihren Kindern über die Schulter schauen, was sie da so an Programmen aushecken. Vielleicht bringt es Sie dazu, auch selber mal ein paar Blicke in die Kapitel vor diesem Anhang zu werfen?

Wenn Sie meinen, noch überhaupt nichts »von diesem Zeug« zu verstehen, können Sie sich auch erst mal ein Buch wie **PCs für Kids** vornehmen. Das macht Sie fit für den Umgang mit dem Computer und verhindert, dass Ihre Kids Ihnen zu schnell über den Kopf wachsen – was das Thema PC angeht.

Helfen können Sie Ihren Kindern auf jeden Fall erst mal bei der Installation von Small Basic. Genaueres dazu steht in **Kapitel 1**.

Es gibt zwar Programme, die dafür sorgen, dass alles einschließlich der Beispieldateien sicher auf der Festplatte ankommt. Aber es kann ja nicht schaden, wenn man zu zweit versucht, Small Basic auf dem PC einzurichten. Und so bekommen Sie auch mit, was da auf der Festplatte an neuen Ordnern und Dateien auftaucht:

Der Ordner C:\PROGRAMME\MICROSOFT\SMALLBASIC ist in der Regel das Standardverzeichnis von Small Basic. Installiert wird mit der Datei SMALLBASIC.MSI, die Sie aus dem Internet unter **http://smallbasic.com** laden können.

Sämtliche Programmbeispiele zum Buch finden Sie unter **http://www.mitp.de/8188.**

Speichermedien

Es ist nicht unbedingt nötig, dass Ihre Kinder einen USB-Stick benutzen, auf der sie ihre Programmierversuche speichern. Sie können auch einen eigenen neuen Ordner auf der Festplatte einrichten. Dort hätten dann alle Programme Platz. Es kann aber nicht schaden, alles noch mal zur Sicherheit auf einem externen Speichermedium zu sichern.

... und für Lehrer

Dieses Buch versteht sich auch als Lernwerk für den Informatikunterricht in der Schule. Dort setzt natürlich jeder Lehrer seine eigenen Schwerpunkte. Benutzen Sie an Ihrer Schule bereits ein Werk aus einem Schulbuchverlag, so lässt sich dieses Buch auch als Materialienband einsetzen – in Ergänzung zu dem vorhandenen Schulbuch.

Für manchen ungewöhnlich oder gar verpönt erscheint der Einsatz einer **Basic**-Version, wo oft Pascal oder Java eher als »echte« Lern- bzw. Lehrsprachen gelten. Aber an Kursen oder AGs, die keine leistungsorientierten Kurse für die gymnasiale Oberstufe sind, nehmen nicht selten leistungsschwächere Schüler teil, die durch Pascal oder gar Java überfordert sind. Könnte nicht gerade Basic diesen Schülern einen (leichteren) Zugang zur Programmierung ermöglichen?

Die Wahl fiel hier auf **Small Basic**, weil diese Sprache sehr leicht und schnell erfassbar ist, dabei aber trotzdem die wesentlichen Grundelemente einer strukturierten Programmierung vermittelt werden können. Auch ist es sicher motivierend, dass der Umgang mit Grafik und sogar das Programmieren (einfacher) Spiele in Small Basic recht unkompliziert sind. Es spricht also nichts dagegen, den Unterricht mit etwas mehr »Fun« aufzupeppen.

Wenn Sie mehr **Kreativität** in den Unterricht einbringen wollen, können Sie mit den Schülern zusammen ein Spielprojekt entwickeln, das durchaus nicht nur pädagogischen Wert haben muss. Mit einem Malprogramm lassen sich die nötigen Hintergrundbilder, Gegenstände und Figuren herstellen, die dann in ein Small-Basic-Programm eingebunden werden können.

Regelmäßig sichern

Es kann nicht schaden, die Programmdateien, an denen gerade gearbeitet wird, etwa alle **zehn** Minuten zu speichern. Denn Computer pflegen gern gerade dann »abzustürzen«, wenn man seine Arbeit längere Zeit nicht gespeichert hat.

Anhang B

Kleiner Fehlervermeidungs-Check

Warst du das, der/die gerade so ergreifend um Hilfe gerufen hat? Warum aber auf Eltern oder Lehrer warten? Vielleicht kannst du das Problem auch allein lösen, wenn du hier mal nachschaust..

```
'Fehler 1
TextWindow.WriteLine "Hallo"
```

Fehler 1:

Die nötigen Klammern fehlen. Richtig ist:

```
TextWindow.WriteLine("Hallo")
```

```
'Fehler 2
TextWindow.WriteLine("Wer bist du?")
TextWindow.Read(Antwort)
```

Fehler 2:

Read ist eine Funktion, die etwas zurückgibt, sie muss hier also zugewiesen werden. Richtig ist:

```
Antwort = TextWindow.Read()
```

```
'Fehler 3
Antwort = TextWindow.Read()
TextWindow.WriteLine(Antwrot)
```

Fehler 3:

Falscher Variablenname: Small Basic hält Antwrot für eine neue Variable.

```
'Fehler 4
Antwort = TextWindow.Read()
If Antwort = "gut" Then
   TextWindow.WriteLine("Das freut mich.")
```

Fehler 4:

Jede If-Struktur muss mit EndIf abgeschlossen werden.

Ähnlich:

Strukturen mit While oder For müssen mit EndWhile bzw. EndFor abgeschlossen werden.

Jede Sub-Vereinbarung muss mit EndSub abgeschlossen werden.

```
'Fehler 5
Sub Test
   TextWindow.WriteLine("Test")
EndSub

Test
```

Fehler 5:

Aufruf einer Prozedur ohne Klammerung am Ende. Richtig ist:

Test()

Kleiner Fehlervermeidungs-Check

Und hier noch ein paar Fragen, die du hin und wieder einmal prüfen solltest:

◇ Sind vielleicht scheinbare »Kleinigkeiten« wie z.B. Komma oder Punkt vergessen worden?

◇ Fehlen hinter einem Prozeduraufruf die Klammern?

◇ Kann es bei einer Division passieren, dass der Teiler null (oder fast null) wird?

◇ Sind alle Blöcke einer Programm-Einheit (z.B. If, While, For, Prozeduren) mit einer eindeutigen **Endmarke** versehen?

◇ Können Bedingungen hinter If und While überhaupt erfüllt werden?

Anhang C

Der Wortschatz von Small Basic

Hier findest du in einer Tabelle **alle** Wörter und Symbole, die ich bei meiner Arbeit mit Small Basic gefunden habe, mit einer kurzen Erklärung. Darunter sind also auch Elemente, die im Text der letzten 13 Kapitel nicht vorgekommen sind.

Kontrollstrukturen

Name	Bedeutung
If Then EndIf	Verzweigung
Else	If-Alternative
ElseIf	weitere Auswahl
While EndWhile	Wiederholung
For To EndFor	Zählschleife

C

Prozeduren und Sprünge

Name	Bedeutung
Sub EndSub	Prozedur, Unterprogramm
Goto Marke:	Sprung zu einer Marke

Operatoren

Name	Bedeutung
=	Zuweisung
+	Addition
–	Subtraktion
*	Multiplikation
/	Division
+	Texte verketten
=	gleich
<	kleiner
>	größer
<=	kleiner oder gleich
>=	größer oder gleich
<>	ungleich
And	alle Bedingungen müssen erfüllt sein
Or	mindestens eine Bedingung muss erfüllt sein

Array

Name	Bedeutung
ContainsIndex	Index in einem Array finden/ermitteln
ContainsValue	Wert in einem Array finden/ermitteln
GetAllIndices	alle Indexe eines Arrays in einem Zahl-Array sammeln

Name	Bedeutung
GetItemCount	Anzahl der Array-Elemente ermitteln
GetValue	Wert eines bestimmen Array-Elements ermitteln
IsArray	Variable prüfen, ob sie ein Array ist
RemoveValue	Element aus einem Array entfernen
SetValue	Wert in einem Array-Element (neu) setzen

Clock

Name	Bedeutung
Date	aktuelles Datum ermitteln
Day	Nummer des aktuellen Monatstags ermitteln
ElapsedMilliseconds	Millisekunden, die seit 1900 vergangen sind, ermitteln
Hour	aktuelle Stunde ermitteln
Millisecond	aktuelle Millisekunde ermitteln
Minute	aktuelle Minute ermitteln
Month	aktuellen Monat ermitteln
Second	aktuelle Sekunde ermitteln
Time	aktuelle Uhrzeit ermitteln
WeekDay	aktuellen Wochentag ermitteln
Year	aktuelles Jahr ermitteln

Controls

Name	Bedeutung
AddButton	einen Button ins Grafikfenster einfügen
AddMultiLineTextBox	eine mehrzeilige Textbox ins Grafikfenster einfügen
AddTextBox	eine einzeilige Textbox ins Grafikfenster einfügen

Name	Bedeutung
ButtonClicked	Button wurde angeklickt
GetButtonCaption	Button-Aufschrift ermitteln
GetTextBoxText	Text in Textbox ermitteln
HideControl	Komponente verbergen
LastClickedButton	zuletzt angeklickten Button ermitteln
LastTypedTextBox	zuletzt eingegebenen Text ermitteln
Move	Position einer Komponente ändern
Remove	Komponente aus dem Grafikfenster entfernen
SetButtonCaption	Button-Aufschrift (neu) setzen
SetSize	Größe einer Komponente ändern
SetTextBoxText	Textbox-Text (neu) setzen
ShowControl	Komponente anzeigen
TextTyped	etwas wurde in Textbox eingetippt

Desktop

Name	Bedeutung
Height	Höhe der Desktopfläche
SetWallPaper	(neues) Hintergrundbild festlegen
Width	Breite der Desktopfläche

Dictionary

Name	Bedeutung
GetDefinition	Definition eines Wortes (in Englisch) anzeigen

File

Name	Bedeutung
AppendContents	Daten am Ende einer Datei hinzufügen
CopyFile	Quelldatei in Zielpfad kopieren (evtl. vorhandene Datei wird überschrieben)
CreateDirectory	neuen Ordner erzeugen
DeleteDirectory	Ordner löschen
DeleteFile	Datei löschen
GetDirectories	alle Unterverzeichnisse eines Ordners in einem Array sammeln
GetFiles	alle Dateinamen eines Ordners in einem Array sammeln
GetSettingsFilePath	vollständigen Pfad der Datei mit den Einstellungen für das aktuelle Programm ermitteln
GetTemporaryFile-Path	temporäre Datei erstellen und zugehörigen Pfad ermitteln
InsertLine	Inhalt einer Textzeile in Datei schreiben (einfügen)
LastError	letzte Meldung eines Dateifehlers ermitteln
ReadContents	kompletten Inhalt einer Datei einlesen
ReadLine	Inhalt einer Textzeile aus einer Datei einlesen
WriteContents	kompletten Inhalt einer Datei schreiben (alten Inhalt ersetzen)
WriteLine	Inhalt einer Textzeile in eine Datei schreiben (ggf. vorhandene Zeile überschreiben)

C

Flickr

Name	Bedeutung
GetPictureOfMoment	aktuelles Zufalls-Bild aus Flickr-Bilderdienst laden
GetRandomPicture	Zufalls-Bild nach Themenvorgabe aus Flickr-Bilderdienst laden

GraphicsWindow

Name	Bedeutung
BackgroundColor	Hintergrundfarbe ermitteln/festlegen
BrushColor	Malfarbe ermitteln/festlegen
CanResize	festlegen, ob Fenstergröße veränderbar ist
Clear	Fensterinhalt löschen
DrawBoundText	Text in einer bestimmten Breite darstellen
DrawEllipse	Ellipse/Kreis zeichnen
DrawImage	Bild aus einer Datei anzeigen
DrawLine	Linie/Gerade zeichnen
DrawRectangle	Rechteck/Quadrat zeichnen
DrawResizedImage	Bild aus einer Datei in einer bestimmten Größe anzeigen
DrawText	Text darstellen
DrawTriangle	Dreieck zeichnen
FillEllipse	Ellipse/Kreis malen
FillRectangle	Rechteck/Quadrat malen
FillTriangle	Dreieck malen
FontBold	Fettschrift ermitteln/festlegen
FontItalic	Kursivschrift ermitteln/festlegen
FontName	Schriftname ermitteln/festlegen
FontSize	Schriftgröße ermitteln/festlegen

Name	Bedeutung
GetColorFromRGB	Farbe über Anteile von Rot, Grün, Blau festlegen
GetPixel	Farbe eines Bildpunktes ermitteln
GetRandomColor	zufällige Farbe festlegen
Height	Höhe des Grafikfensters ermitteln/festlegen
Hide	Grafikfenster ausblenden
KeyDown	eine Taste wurde gedrückt
KeyUp	eine Taste wurde losgelassen
LastKey	zuletzt gedrückte Taste ermitteln
LastText	zuletzt eingegebenen Text ermitteln
Left	linke Fensterposition ermitteln/festlegen
MouseDown	Maustaste wurde gedrückt
MouseMove	Maus wurde bewegt
MouseUp	Maustaste wurde losgelassen
MouseX	x-Position des Mauszeigers im Fenster ermitteln/festlegen
MouseY	y-Position des Mauszeigers im Fenster ermitteln/festlegen
PenColor	Zeichenfarbe ermitteln/festlegen
PenWidth	Strichstärke ermitteln/festlegen
SetPixel	Pixel mit bestimmter Farbe zeichnen
Show	Grafikfenster anzeigen
ShowMessage	Meldungsfenster anzeigen
TextInput	Text wurde eingegeben
Title	Text der Titelzeile ermitteln/festlegen
Top	obere Fensterposition ermitteln/festlegen
Width	Breite des Grafikfensters ermitteln/festlegen

ImageList

Name	Bedeutung
GetHeightOfImage	Höhe eines Bildes anzeigen
GetWidthOfImage	Breite eines Bildes anzeigen
LoadImage	Bild aus einer Datei laden

Math

Name	Bedeutung
Abs	Absolutwert einer Zahl
ArcCos	Arkus-Kosinus (Bogenmaß)
ArcSin	Arkus-Sinus (Bogenmaß)
ArcTan	Arkus-Tangens (Bogenmaß)
Ceiling	aufgerundeter Wert einer Zahl
Cos	Kosinus eines Winkels
Floor	abgerundeter Wert einer Zahl
GetDegrees	Bogenmaß in Gradmaß umrechnen
GetRadians	Gradmaß in Bogenmaß umrechnen
GetRandomNumber	ganze Zufallszahl
Log	Logarithmus zur Basis 10
Max	die größere von zwei Zahlen ermitteln
Min	die kleinere von zwei Zahlen ermitteln
NaturalLog	natürlicher Logarithmus
Pi	Kreiszahl Pi
Power	Potenz aus Basis und Exponent
Remainder	Rest einer Ganzzahldivision
Round	gerundeter Wert einer Zahl
Sin	Sinus eines Winkels
SquareRoot	Quadratwurzel einer Zahl
Tan	Tangens eines Winkels

Mouse

Name	Bedeutung
HideCursor	Mauszeiger ausblenden
IsLeftButtonDown	linke Maustaste wurde gedrückt
IsRightButtonDown	rechte Maustaste wurde gedrückt
MouseX	x-Koordinate des Mauszeigers ermitteln/festlegen
MouseY	y-Koordinate des Mauszeigers ermitteln/festlegen
ShowCursor	Mauszeiger anzeigen

Network

Name	Bedeutung
DownloadFile	Datei aus Netzwerk holen und temporär abspeichern
GetWebPageContents	Inhalt einer Webseite/Homepage abrufen

Program

Name	Bedeutung
ArgumentCount	Anzahl der Parameter (Argumente), die an das Programm übergeben wurden
Directory	Verzeichnis des aktuellen Programms
Delay	Programmpause machen
End	Programm beenden
GetArgument	Wert eines Arguments ermitteln, das an das Programm übergeben wurde

C

Shapes

Name	Bedeutung
AddEllipse	Ellipse als Objekt hinzufügen
AddImage	Bild als Objekt hinzufügen
AddLine	Linie als Objekt hinzufügen
AddRectangle	Rechteck als Objekt hinzufügen
AddText	Text als Objekt hinzufügen
AddTriangle	Dreieck als Objekt hinzufügen
Animate	Objekt von aktueller an neue Position bewegen
GetLeft	Objekt-Position links ermitteln
GetOpacity	Transparenz eines Objekts ermitteln
GetTop	Objekt-Position oben ermitteln
HideShape	Objekt verbergen
Move	Objekt an neue Position setzen
Remove	Objekt entfernen
Rotate	Objekt drehen
SetOpacity	Transparenz eines Objekts festlegen
SetText	Text eines Text-Objekts festlegen
ShowShape	Objekt anzeigen
Zoom	Objektgröße ändern

Sound

Name	Bedeutung
Pause	das Abspielen einer Audiodatei unterbrechen
Play	eine Audiodatei abspielen
PlayAndWait	eine Audiodatei abspielen und bis zum Ende warten
PlayBellRing	einen Glocken-Sound abspielen
PlayBellRingAndWait	einen Glocken-Sound abspielen und bis zum Ende warten

Name	Bedeutung
PlayChime	einen Klingel-Sound abspielen
PlayChimeAndWait	einen Klingel-Sound abspielen und bis zum Ende warten
PlayChimes	einen kurzen Klingel-Sound abspielen
PlayChimesAndWait	einen kurzen Klingel-Sound abspielen und bis zum Ende warten
PlayClick	einen Klick-Sound abspielen
PlayClickAndWait	einen Klick-Sound abspielen und bis zum Ende warten
PlayMusic	Musiknoten (nach Buchstaben) abspielen
Stop	das Abspielen einer Audiodatei beenden

Stack

Name	Bedeutung
GetCount	Anzahl der Elemente in einem Speicher-Stapel ermitteln
PopValue	Wert von Speicher-Stapel ermitteln/ "abheben"
PushValue	Wert auf Speicher-Stapel ablegen

Text

Name	Bedeutung
Append	zwei Textteile zusammenfügen
ConvertToLowerCase	den ganzen Text in Kleinbuchstaben umwandeln
ConvertToUpperCase	den ganzen Text in Großbuchstaben umwandeln
EndsWith	ermitteln, ob Text mit bestimmter Zeichenfolge endet
GetCharacter	Zeichen zu Unicode-Wert ermitteln
GetCharacterCode	Unicode-Wert zu Zeichen ermitteln

Name	Bedeutung
GetIndexOf	Position einer Zeichenfolge in einem Text suchen
GetLength	Textlänge ermitteln
GetSubText	Zeichenfolge mitten aus einem Text suchen
GetSubTextToEnd	Zeichenfolge ab einer Stelle bis zum Textende suchen
IsSubText	ermitteln, ob Zeichenfolge in einem Text enthalten ist
StartsWith	ermitteln, ob Text mit bestimmter Zeichenfolge beginnt

TextWindow

Name	Bedeutung
BackgroundColor	Hintergrundfarbe ermitteln/festlegen
Clear	Fensterinhalt löschen
CursorLeft	Spalte, in der sich der Cursor befindet, ermitteln/festlegen
CursorTop	Zeile, in der sich der Cursor befindet, ermitteln/festlegen
ForegroundColor	Textfarbe ermitteln/festlegen
Hide	Textfenster ausblenden
Left	linke Fensterposition ermitteln/festlegen
Pause	auf Eingabe warten
PauseIfVisible	auf Eingabe warten, wenn Textfenster sichtbar
PauseWithoutMessage	auf Eingabe warten (ohne Meldungstext)
Read	Text einlesen
ReadKey	einzelnes Zeichen einlesen
ReadNumber	Zahl einlesen
Show	Textfenster anzeigen
Title	Text der Titelzeile ermitteln/festlegen

Name	Bedeutung
Top	obere Fensterposition ermitteln/festlegen
Write	Text ausgeben
WriteLine	Text ausgeben und neue Zeile beginnen

Timer

Name	Bedeutung
Interval	Zeitraum, in dem eine Ereignisprozedur wiederholt wird
Pause	Timer anhalten
Resume	Timer fortsetzen
Tick	Zeitimpuls wurde ausgelöst

Turtle

Name	Bedeutung
Angle	Richtung ermitteln/festlegen
Hide	Schildkröte verbergen
Move	Schildkröte eine bestimmte Strecke bewegen
MoveTo	Schildkröte an eine bestimmte Stelle bewegen
PenDown	Stift zum Zeichnen aufsetzen
PenUp	Stift zum Nicht-Zeichnen abheben
Show	Schildkröte zeigen
Speed	Bewegungsgeschwindigkeit festlegen
Turn	Schildkröte um Winkel drehen
TurnLeft	Schildkröte 90 Grad nach links drehen
TurnRight	Schildkröte 90 Grad nach rechts drehen
X	x-Koordinate der Schildkröte ermitteln/festlegen
Y	y-Koordinate der Schildkröte ermitteln/festlegen

Stichwortverzeichnis

Hans-Georg Schumann

Java
mit Eclipse
FÜR KIDS

4. Auflage

Java – wer denkt da nicht an eine Insel, auf der es heiß und feucht ist, mit Vulkanen, viel Wald und seltenen Tieren? Du nicht? Du denkst an eine Programmiersprache zum Aufpeppen von Webseiten? Dann bist du hier richtig! Und dass diese Sprache noch viel mehr zu bieten hat, lernst du in diesem Buch. So schaffst du spielend den Einstieg in Java mit der Entwicklungsumgebung Eclipse!

Hans-Georg Schumann zeigt dir, wie du mit Java erste Programme schreibst und welche Zutaten du dazu benötigst: Variablen, Kontrollstrukturen, Klassen und mehr. Schritt für Schritt werden die Quelltexte umfangreicher bis hin zur Objektorientierten Programmierung und dem Einsatz von Java-Komponenten. Das hört sich kompliziert an? Ist es aber nicht! Denn alles wird genau erklärt, und wenn es mal ganz haarig wird, ist Hilfshund Buffi zur Stelle.

Auf der CD findest du alles, was du zum Programmieren brauchst:

• die Entwicklungsumgebung Eclipse

• den Visual Editor

• Java von Sun (Version 6.0)

• alle Projekte aus dem Buch

Probekapitel und Infos erhalten Sie unter: **www.mitp.de/8658**

ISBN 978-3-8266-8658-0

Hans-Georg Schumann

Visual Basic 2010 für KIDS

Wolltest du schon immer in die Liga der Programmierer und Software-Entwickler aufsteigen? Visual Basic 2010 für Kids ist deine Eintrittskarte dafür!

Hans-Georg Schumann führt dich Schritt für Schritt in die Visual-Basic-Programmierung ein. Er zeigt dir, wie man Buttons und Labels anlegt und mit Operatoren und Methoden umgeht. Selbst vor der Objektorientierten Programmierung macht er nicht halt. Anhand spannender Beispiele mit viel Praxisbezug

kommt der Spaß beim Lernen nicht zu kurz. Zwischendurch gibt es immer wieder Fragen und Aufgaben zum Lösen, um das Gelernte zu festigen.

Alle Projektbeispiele und die Lösungen zu den Aufgaben gibt es auf der beiliegenden DVD und zum Herunterladen im Internet. Und das Tollste: Auf der DVD findest du auch die Software Visual Basic 2010 Express, mit der du sofort loslegen kannst.

Auf der DVD:

Vollversion von Visual Basic 2010 Express sowie die Beispielprojekte und Lösungen aus dem Buch

Probekapitel und Infos erhältst du unter: **www.mitp.de/8680**

ISBN 978-3-8266-8680-1

Hans-Georg Schumann

Was mag sich wohl hinter »C« (gesprochen wie der Zeh) verbergen? Steht der Buchstabe für »Computer«, wie du vielleicht vermutest? So ganz falsch liegst du damit nicht. Denn C ist eine Sprache, die eng mit dem Computer verbunden ist. Sie sagt ihm, was er zu tun hat, und programmiert ihn. Tatsächlich werden die meisten PC-Programme in C geschrieben.

Wenn du diese Programmiersprache lernen möchtest, dann lass dir in diesem Buch von Hans-Georg Schumann zeigen, wie Variablen und Funktionen dem Computer »auf die Sprünge helfen«. Anhand vieler Beispiele, einfacher Lernschritte sowie kleinerer Aufgaben entwickelst du dich nach und nach zu einem Fast-Profi in Sachen Programmierung. Auf der beiliegenden CD findest du alles Nötige, um direkt zu starten.

Auf der CD:
Alle Beispieldateien sowie die vollständige Entwicklungsumgebung Eclipse für C unter Windows und Linux

Probekapitel und Infos erhältst du unter:
www.mitp.de/8670

ISBN 978-3-8266-8670-2